Bernard Baudry

Économie de la firme

Éditions La Découverte
9 *bis*, rue Abel-Hovelacque
75013 Paris

Si vous désirez être tenu régulièrement informé de nos parutions, il vous suffit d'envoyer vos nom et adresse aux Éditions La Découverte, 9 *bis*, rue Abel-Hovelacque, 75013 Paris. Vous recevrez gratuitement notre bulletin trimestriel **À la Découverte**. Vous pouvez également retrouver l'ensemble de notre catalogue et nous contacter sur notre site **www.editionsladecouverte.fr**.

ISBN 2-7071-3741-3

Introduction

L'intérêt croissant porté à la firme par les économistes depuis les années 1970 résulte d'une double évolution. D'une part, la théorie néoclassique de la firme a progressivement été remise en cause, au profit d'approches plus réalistes. D'autre part, de nombreuses transformations ont déstabilisé la firme fordiste, modèle de firme dominant pendant la période dite des « trente glorieuses ».

Pour la théorie néoclassique, courant associé à la microéconomie traditionnelle, la firme est appréhendée uniquement en termes technologiques ; elle est assimilée à une fonction de production qui spécifie le niveau d'output Q obtenu à partir d'un niveau de n inputs. Il est supposé que cette firme est dirigée par un propriétaire parfaitement rationnel qui choisit les niveaux d'inputs et d'output dans le but de maximiser son profit. Si ce modèle, par l'intermédiaire de la fonction de production, offre des instruments efficaces pour analyser comment la production varie sous l'impact des variations de prix des inputs et de l'output, ou encore pour étudier les interactions stratégiques entre les firmes dès lors que la concurrence est supposée imparfaite, il est néanmoins très limité pour comprendre ce qu'est réellement une firme [Hart, 1995]*. Tout d'abord, il ignore complètement les problèmes d'incitations à l'intérieur de la firme. Dans ce schéma, la production ne soulève aucune difficulté, tous les individus qui concourent à sa réalisation pouvant être assimilés à des automates. En outre, cette théorie n'a rien à dire sur la structure interne de la firme, et notamment sur le fonctionnement de

* Les références entre crochets renvoient à la bibliographie en fin d'ouvrage.

l'autorité. Enfin, elle ne propose aucune réflexion sur les frontières de la firme.

C'est Ronald Coase qui, avec un article de 1937 intitulé « The Nature of the Firm », est le fondateur de ce qu'il convient d'appeler la théorie moderne de la firme. En effet, Coase pose deux questions qui sont, toujours aujourd'hui, au centre des programmes de recherche en matière de théorie de la firme : quelle est la nature de la firme ? Comment expliquer son existence alors que le système des prix est censé réaliser une allocation optimale des ressources ? On connaît la réponse de Coase à ces deux questions : si la firme existe, c'est parce qu'il existe un « coût de fonctionnement » du marché ; à l'intérieur de la firme, l'affectation des ressources s'effectue par l'« autorité », représentée par l'entrepreneur-coordinateur.

Mais c'est seulement depuis une trentaine d'années, grâce à l'émergence de nouveaux courants, théorie des coûts de transaction, théorie des incitations, théorie évolutionniste, théorie des ressources notamment, que les économistes ont (re)découvert que la firme constitue, à côté du marché, l'organisation centrale de l'activité économique.

Comprendre ces théories et saisir leurs enjeux constituent le premier objectif de cet ouvrage. Concernant la définition de la firme, on ne peut qu'être frappé par l'absence de consensus parmi les économistes. Comment, ayant abandonné la référence à la fonction de production, l'appréhendent-ils ? Trois grandes représentations s'affrontent : pour les uns, la firme est vue essentiellement comme un « nœud de contrats » entre les différents individus qui constituent la firme. Parler de firmes comme Renault ou Vivendi en tant que collectivité de travail n'a ainsi pas de sens, seuls existent des contrats entre individus (chapitre I). Pour d'autres, il s'agit d'un « panier de compétences et de ressources » ou d'un « processeur de connaissances » (chapitre II). Enfin, certains caractérisent la firme par une « organisation hiérarchique », fondée sur une relation de pouvoir asymétrique entre l'employeur et ses salariés (chapitre III). La deuxième question, traitée également différemment par ces trois approches, porte sur l'efficacité des formes organisationnelles : sous quelles conditions la firme est-elle plus efficace que le marché ? Quels sont les mécanismes de coordination intrafirme ? Comment la firme suscite-t-elle la coopération des salariés ? Pourquoi le recours au marché entraîne-t-il des coûts ? Quelle est la dynamique de la firme ?

Économie de la firme ou économie de l'entreprise ?

L'économie de la firme relève du champ de l'analyse économique, tandis que l'économie de l'entreprise renvoie plutôt aux sciences de gestion. Si les gestionnaires utilisent généralement le terme « entreprise », beaucoup d'économistes, reprenant la terminologie proposée par Coase dans son article de 1937, retiennent le terme de *firme*. Plus fondamentalement, les deux approches, bien que convergentes sur certains points, n'étudient pas les mêmes questions. La plupart des ouvrages consacrés à l'économie d'entreprise s'intéressent généralement à trois thèmes : (1) les fonctions de l'entreprise : commerciale, production, approvisionnement et logistique, ressources humaines, financière ; (2) l'organisation interne de l'entreprise : configurations structurelles, mécanismes de communication, etc. ; (3) les rapports de l'entreprise avec son environnement : dynamique de l'entreprise, stratégie.

L'économie de la firme, quant à elle, traite des questions posées par Coase : nature, existence, efficacité et mécanismes de coordination de la firme. Tel est l'objet principal des théories de la firme.

L'économie de la firme va cependant au-delà de cette seule interrogation théorique. En effet, progressivement, l'économiste s'est intéressé à de nombreux problèmes issus de l'observation empirique des transformations des firmes. Cette seconde approche donne lieu à des travaux qui concernent tel ou tel aspect de la vie des firmes : économie des ressources humaines, économie de l'innovation, économie de la firme multinationale, économie des relations interfirmes, etc. Par rapport à ce deuxième champ d'étude, si la frontière est parfois plus floue entre l'économie et la gestion, néanmoins chaque discipline dispose de ses propres outils d'analyse. L'ouvrage de Paul Milgrom et John Roberts [1992], *Economics, Organization and Management*, est une bonne illustration de la volonté des économistes de s'intéresser aux questions de management de la firme.

Théorie de la firme et analyse des transformations de la firme constituent en définitive l'objet de l'*Économie de la firme*.

Notre second objectif est d'analyser, à la lumière des approches théoriques, les mutations empiriques qu'ont connues les firmes, et notamment les plus grandes d'entre elles : accélération de la concentration, internationalisation, recentrage stratégique, réduction de la taille des unités de production, émergence des « firmes-réseaux », changements des structures internes, nouvelle gestion de l'emploi, et enfin modification des rapports de propriété et de pouvoir avec l'avènement de la « gouvernance de l'entreprise ». Nous insisterons sur trois de ces transformations, que nous considérons comme essentielles dans la mesure où elles remettent en cause les fondements de la firme fordiste. Il s'agit tout d'abord de la gouvernance de la firme (chapitre IV) : que recouvre cette expression ? Quel est le rapport entre modèle de gouvernance et représentation théorique de la firme ? Il sera ensuite question de la relation d'emploi (chapitre V) : comment expliquer la remise en cause du modèle fordiste des relations employeurs-employés ? Quelle est la nature des nouvelles règles d'emploi ? Enfin, nous nous intéresserons à la question des frontières de la firme (chapitre VI) : pourquoi les firmes s'adressent-elles de plus en plus à des fournisseurs au lieu de fabriquer elles-mêmes ? Comment analyser la firme-réseau, forme organisationnelle qui tend à se substituer à la firme fordiste intégrée ?

Sur toutes ces questions, quelle est la portée explicative des théories de la firme ?

PREMIÈRE PARTIE
LES ANALYSES THÉORIQUES DE LA FIRME : CONTRAT, COMPÉTENCES ET HIÉRARCHIE

L'objectif de cette partie est de proposer au lecteur une synthèse des principaux courants en matière de théorie de la firme. Comment ces théories appréhendent-elles la firme ? Que cherchent-elles à montrer ? Quels sont les points de divergence ?

Trois courants distincts feront l'objet de cette synthèse.

L'approche dite contractuelle, dominante en matière de théorie de la firme, est composée de trois théories : la théorie néo-institutionnelle des coûts de transaction, la théorie des incitations et la théorie des contrats incomplets.

L'approche de la firme par les compétences constitue la principale alternative à l'approche contractuelle. Qualifiée d'hétérodoxe, eu égard aux hypothèses mobilisées, elle se compose de deux branches, la théorie évolutionniste d'une part, la théorie des ressources et des compétences d'autre part. La firme est ici appréhendée comme un « panier de compétences ».

La troisième approche, contrairement aux deux premières, ne relève pas d'un champ théorique homogène et bien structuré. Elle mobilise des travaux divers, qui sont pour l'essentiel à la frontière de ce que les économistes nomment l'orthodoxie et l'hétérodoxie. Cette approche s'efforce de mettre en évidence une dimension de la firme qui est largement occultée, voire délibérément ignorée par les deux autres courants. Plaçant au centre de la définition de la firme la relation d'emploi, c'est-à-dire la relation entre l'employeur et les salariés, elle s'attache à montrer que la firme est une « hiérarchie ».

I / Les approches contractuelles de la firme

Deux points de convergence essentiels caractérisent les courants que nous allons analyser dans ce chapitre. D'une part, le marché est considéré comme la forme d'organisation économique la plus efficiente, et seules des défaillances de ce marché expliquent l'apparition d'une forme d'organisation économique qualifiée de firme. D'autre part, toutes ces approches recourent au concept central de contrat pour analyser la firme (un contrat est généralement défini comme un accord — ou comme un dispositif bilatéral de coordination — par lequel deux parties s'engagent sur leurs comportements réciproques).

1. La firme comme structure de gouvernance (« *governance structure* ») : la théorie des coûts de transaction (TCT)

Dans son article de 1937, Coase indique que c'est la présence de coûts d'utilisation du marché qui explique l'apparition de la firme. Oliver Williamson, chef de file du courant dit néo-institutionnaliste, va approfondir cette problématique à partir du concept de coût de transaction, coût issu de la négociation, du suivi et du contrôle de tout contrat. La question posée par cet auteur est alors la suivante : quelles sont les formes organisationnelles qui minimisent le coût de transaction ?

Les hypothèses comportementales

La rationalité limitée et l'opportunisme sont deux hypothèses propres à la TCT. La rationalité limitée signifie que les agents, bien que rationnels, sont dans l'incapacité de prévoir tous les événements susceptibles de se produire dans le futur, et de leur affecter une probabilité. Une conséquence majeure est l'impossibilité pour les individus de conclure des contrats dits complets, contrats qui en quelque sorte ne laissent aucune place au hasard et à la surprise car ils recensent toutes les contingences futures et ils spécifient *ex ante* les adaptations appropriées aux états futurs du monde. Les contrats étant incomplets, les individus doivent mettre en place des systèmes de surveillance et de contrôle en cours de contrat et *ex post*. En effet, pour Williamson, il ne saurait y avoir de confiance lorsque l'échange est caractérisé par une situation d'incertitude radicale, donc non probabilisable : les contractants sont soumis à un éventuel comportement opportuniste de leur partenaire.

L'opportunisme caractérise l'absence d'honnêteté dans les transactions, la recherche de l'intérêt personnel par la ruse. L'opportunisme se différencie d'un comportement fondé sur des relations de confiance dans lesquelles la promesse d'une partie peut être considérée comme un engagement, une obligation. Un tel comportement, couplé à la rationalité limitée, soumet la transaction à des aléas, car il peut engendrer des fausses promesses, une manipulation et une déformation de l'information possédée par chaque partie.

Williamson distingue deux types d'opportunisme, un opportunisme *ex ante* et un opportunisme *ex post*. Prenons l'exemple de la relation employeur-employé : dans le premier cas, un individu désireux de se faire embaucher par une firme peut tricher sur ses véritables qualités et compétences ; dans le deuxième cas, la tricherie se produit en cours d'exécution du contrat, le salarié ne fournissant pas le niveau d'effort conclu dans le contrat en cas d'inobservation de son travail.

La nature des transactions : la spécificité des actifs

La spécificité des actifs est pour Williamson l'attribut essentiel de la transaction : un actif est spécifique lorsque sa valeur dans des utilisations alternatives est plus faible que dans son utilisation présente. Williamson distingue cinq catégories d'actifs spécifiques :

Spécificité des actifs, hold-up et intégration verticale

Supposons un éditeur X qui, pour imprimer ses publications, utilise habituellement les services d'un imprimeur Y. X décide de lancer une nouvelle publication et s'adresse à Y. Pour pouvoir fabriquer cette publication, Y a besoin d'une presse répondant à des spécificités techniques particulières (la presse est ainsi un actif physique spécifique). Y achète cette presse, et vend ses services à X pour un prix de 55 000 euros. Du fait de la spécificité de cet actif, la valeur de la presse est dérisoire si elle est utilisée pour des publications à destination d'autres clients (par exemple 10 000 euros). X est alors susceptible d'adopter un comportement post-contractuel opportuniste en reconsidérant son offre initiale. Il peut par exemple arguer d'une dépression dans la vente de journaux pour demander la révision du prix, pour exiger de renégocier le contrat initial avec Y, en lui proposant un prix nettement inférieur à 55 000 euros, s'appropriant de ce fait une part de la valeur qui normalement est la propriété de Y. La valeur potentiellement appropriable par X est appelée « quasi-rente ». Son montant est de (55 000 – 10 000) = 45 000 euros. Autrement dit, du fait de la spécificité de sa presse, Y, en cas de rupture contractuelle avec X, subira des pertes très élevées : il sera victime d'un « hold-up ». Mais le raisonnement inverse est également possible. En effet, Y possède un pouvoir de négociation vis-à-vis de X car il peut lui faire subir de lourdes pertes si ce dernier ne retrouve pas rapidement un autre imprimeur qui lui rendra le même service. Y a la possibilité d'alléguer une hausse subite de ses coûts pour exiger une renégociation du prix supérieure à 55 000 euros.

La possibilité de comportement post-contractuel opportuniste engendre ainsi une perte d'efficience. Les contractants, devant cette menace potentielle, peuvent renoncer à effectuer des investissements spécifiques pour éviter d'être dans une situation dite de « *lock-in* » (« enfermement dans une relation »). La présence de coûts de transaction élevés entraîne des répercussions sur les coûts de production. Dans notre exemple, l'imprimeur est susceptible de renoncer à l'acquisition de la presse, ce qui freine la possibilité d'obtention de gains de productivité et empêche l'amélioration potentielle de la qualité des journaux. Le coût global de production est alors plus élevé. Une telle situation engendre un coût social qui serait évité si X et Y pouvaient totalement se faire confiance. Face à la difficulté de rédiger un contrat qui prenne en compte l'ensemble des aléas, l'intégration verticale (l'achat de Y par X) constitue alors pour la TCT la meilleure structure de gouvernance.

physiques (des moules utilisés pour fabriquer des pièces en matière plastique), localisés (une proximité géographique entre un client et un fournisseur), humains (le capital humain accumulé par un salarié possédant de l'ancienneté dans une firme), dédiés (un système informatique entre un client et un fournisseur), incorporels (une marque connue et réputée).

De tels investissements, par rapport à des actifs dits génériques, sont créateurs d'une richesse qualifiée de quasi-rente (par exemple, le salarié est plus productif car il connaît bien les machines qu'il utilise ; le fournisseur qui s'installe près de son client livre des produits à plus bas prix). Les propriétaires d'actifs spécifiques ont donc tout intérêt à maintenir leur relation contractuelle. Mais ces actifs peuvent se dévaloriser en cas de rupture du contrat, contrairement aux actifs standardisés qui sont redéployables. Autrement dit, les dépenses encourues lors de l'engagement de tels actifs sont irrécouvrables (« *sunk* ») car ils ne sont pas, ou très faiblement, redéployables vers d'autres applications (un salarié qui quitte sa firme ne retrouvera pas les mêmes machines, le fournisseur qui perd son client ne retrouvera pas un client aussi proche géographiquement, etc.). Dès lors, les individus peuvent engager des comportements post-contractuels opportunistes en pratiquant un « hold-up » sur le cocontractant (voir encadré p. 10). C'est dans cette configuration que l'opportunisme contrarie fortement l'échange, puisque la possibilité de substituer un contractant à un autre est coûteuse. En revanche, en l'absence d'actifs spécifiques, l'opportunisme ne pose pas de problème puisqu'un contractant dupé a la faculté de changer de partenaire sans coût et sans délai.

Une analyse comparative des structures de gouvernance

Finalement, c'est la conjonction de la rationalité limitée, de l'opportunisme et de la spécificité des actifs qui détermine le niveau des coûts de transaction encourus lors de l'échange, donc le choix par les individus des « structures de gouvernance » (mécanisme contractuel de pilotage des transactions). Williamson propose, dans un article de 1991 intitulé « Comparative Economic Organization : The Analysis of Discrete Alternative », les trois structures de gouvernance que sont le marché, la hiérarchie (la firme) et la forme hybride (par exemple un contrat de long terme entre un client et un fournisseur), en reliant degré de spécificité des actifs et niveau des coûts de transaction :

LES STRUCTURES DE GOUVERNANCE EFFICIENTES
CHEZ WILLIAMSON

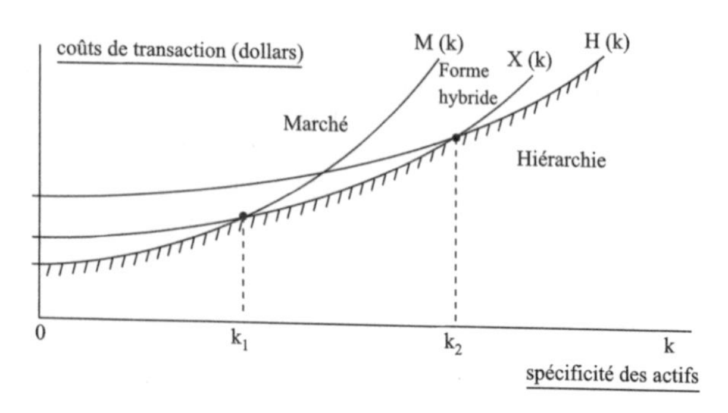

Lorsque les coûts de transaction s'élèvent, la transaction doit être soustraite du marché, faire l'objet d'un contrat « hybride », et enfin être internalisée dans la firme.

Internaliser les transactions au sein de la firme modifie les conditions de déroulement de ces transactions puisque la firme substitue une relation d'emploi à une relation commerciale d'achat-vente. Par définition, tout risque de comportement opportuniste post-contractuel de la part du fournisseur est supprimé. Opposant la firme au marché, Williamson [1975] note qu'au sein de la firme l'employeur est à même de mobiliser l'autorité vis-à-vis des employés, l'autorité constituant, au moins jusqu'aux travaux des années 1980, un dispositif de coordination central de la TCT. La capacité de l'employeur à donner des ordres offre deux avantages. Elle lui permet d'une part de régler les litiges et les conflits de manière rapide et peu coûteuse, et de diriger le travail de l'employé à l'intérieur d'une zone dite d'indifférence, ou encore d'acceptation (il s'agit d'une zone à l'intérieur de laquelle les individus acceptent volontairement d'être dirigés par l'employeur). D'autre part, elle autorise une flexibilité plus grande qu'une relation interfirmes. Par exemple, en cas d'environnement perturbé et incertain, la firme peut rapidement prendre des décisions, alors qu'un contrat interfirmes devra faire l'objet d'une renégociation, ce qui donne prise aux comportements opportunistes.

Au total, pour Williamson, la firme, en tant qu'arrangement contractuel privé, pallie les défaillances du marché, et à l'intérieur les conflits sont réglés à l'amiable, alors que, sur le marché, les échanges sont anonymes, le recours aux tribunaux fréquent en cas de litiges.

Appréciation de la TCT

De très nombreuses études empiriques ont tenté de valider les prédictions de la TCT, faisant de cette dernière, pour Williamson [2000], une véritable « *empirical success story* ». Dans la plupart de ces études, une mesure de la situation de « *lock-in* », comme la spécificité des produits échangés ou des investissements, est reliée au choix d'intégrer ou non, et, de fait, certaines d'entre elles semblent montrer cette association [Cœurderoy et Quélin, 1997]. Pour autant, il importe de nuancer ce point de vue. Les principales critiques [Fares et Saussier, 2002] tiennent premièrement aux difficultés qu'éprouvent les chercheurs à obtenir des données précises et adéquates, et à prendre en compte le fait que la spécificité des actifs est un phénomène dynamique, c'est-à-dire que la spécificité évolue avec le temps. Deuxièmement, les tests empiriques ne tentent pas de valider le modèle théorique complet de Williamson. En effet, cela supposerait de pouvoir comparer l'importance respective des coûts de transaction du marché *et* de la firme, c'est-à-dire les coûts de transaction du marché (coûts constatés) avec les coûts bureaucratiques supplémentaires de l'organisation interne issus de l'intégration verticale (coûts futurs donc non constatés). Compte tenu de la difficulté — de l'impossibilité ? — d'effectuer une telle comparaison, concrètement seule une partie du modèle est soumise à évaluation, celle qui porte sur la proposition suivante : « Comme les transactions de marché se caractérisent par des niveaux de plus en plus élevés de quasi-rentes et d'incomplétude contractuelle, la probabilité de l'intégration doit s'accroître » [Whinston, 2001]. Or, même ces tests ont fait l'objet de sérieuses critiques [Gabrié, 2001]. Enfin, comme nous le verrons dans le chapitre VI, on assiste empiriquement au développement de la firme-réseau. Au sein de cet arrangement institutionnel entre des firmes juridiquement indépendantes, de nombreux actifs présentent des degrés de spécificité élevés et de formes variées. Autrement dit, les situations de dépendance bilatérale ne débouchent pas nécessairement sur une intégration verticale. Il semble donc difficile de croire que la firme émerge uniquement pour des raisons de spécificité des actifs et pour éviter les situations de hold-up.

Par ailleurs, du point de vue analytique, trois limites affaiblissent la démonstration de la TCT en ce qui concerne la pertinence des frontières de la firme.

Tout d'abord, alors que Williamson considère que la hiérarchie constitue une structure de gouvernance plus efficace que le marché — ou les formes d'organisation hybrides — lorsque les actifs spécifiques sont importants dans une transaction, il souligne pourtant abondamment les limites de cette même hiérarchie, rendant le jugement sur les performances respectives de ces arrangements, et donc sur la pertinence des frontières de la firme, éminemment délicat. Certes, le risque de hold-up de la part d'un fournisseur extérieur est annulé, mais en contrepartie, et comme Williamson le souligne luimême [1991], le recours à la firme modifie le système d'incitations dans un sens qui lui est défavorable, les incitations étant plus faibles à l'intérieur de la firme que sur le marché.

En outre, le marché manque d'épaisseur, il ressemble plus à une « boîte noire » qu'à un véritable arrangement institutionnel [Holmström et Roberts, 1998]. Autrement dit, il semble proche d'un « état de nature », et si les coûts qu'il est susceptible d'entraîner sont bien analysés, en revanche, ses bénéfices n'apparaissent pas du tout.

Enfin, l'analyse de la firme est relativement ambiguë. Williamson met par exemple sur le même plan les concepts de hiérarchie et d'autorité. Or, nous verrons dans le chapitre III que cette distinction est fondamentale. Par ailleurs, la firme n'est pas seulement un « arrangement privé » (*private ordering*), de nombreuses règles juridiques sont présentes, et ces règles encadrent les comportements des individus [Masten, 1991]. La position de la TCT quant à la question des frontières est également fragile, l'introduction de la forme hybride (par exemple la firme-réseau) accentuant la perspective contractuelle finalement adoptée par Williamson.

2. La firme comme « nœud de contrats » : relation d'agence et théorie des incitations (TI)

L'origine du courant qui considère la firme comme un « nœud de contrats » (« *nexus of contracts* ») remonte à un article de 1972 intitulé « Production, Information Costs, and Economic

Organization », rédigé par Armen Alchian et Harold Demsetz. Cet article a ensuite été prolongé en 1976 par un deuxième, « Theory of the Firm : Managerial Behavior, Agency Costs, and Ownership Structure », écrit par Michaël Jensen et William Meckling, véritables fondateurs de la conception de la firme comme nœud de contrats. La théorie des incitations constitue le support théorique principal de cette conception. Un courant récent, soucieux de concilier les points de vue de Coase et de Alchian et Demsetz, considère d'ailleurs la firme comme un « système incitatif ». Finalement, l'unité de ce courant réside dans une préoccupation commune : quelle est la forme organisationnelle, marché ou firme, qui assure les incitations maximales à l'effort de la part des individus ?

La production en équipe et la firme capitaliste classique

Pour Alchian et Demsetz, le marché est *a priori* la forme d'organisation de la production la plus efficace, dans la mesure où il fournit les incitations maximales à l'effort et à l'intensité du travail, la rémunération de chaque individu étant corrélée à sa productivité. Autrement dit, si le marché révèle la productivité individuelle, alors la forme d'organisation nommée firme n'a aucune raison d'apparaître. En revanche, si cela n'est pas possible, il faut s'interroger sur d'autres formes d'organisation de la production. Alchian et Demsetz vont ainsi s'intéresser au cas du travail en équipe (par exemple des personnes qui doivent charger ensemble des colis pondéreux sur un camion). Or, il est impossible, en observant seulement le résultat total (le nombre de colis chargés), de déterminer la productivité individuelle de chaque membre de l'équipe. De plus, par définition, le résultat total, fruit de la coopération au sein de l'équipe, n'est pas la somme de chaque contribution individuelle puisque, par un effet de synergie, la production de l'équipe est supérieure à la somme des contributions individuelles. Il est alors aisé de percevoir une contradiction pour organiser le travail en équipe. D'un côté, pour certaines activités, c'est une forme d'organisation de la production souhaitable, puisque l'output obtenu collectivement est plus élevé que la somme des contributions séparées. Mais, d'un autre côté, c'est un mode d'organisation qui pose problème : il est impossible de mesurer les productivités individuelles, et les individus peuvent être tentés de se comporter en « passager clandestin » (*free-rider*). Ils ne supporteront en effet qu'une partie seulement des conséquences d'une moindre activité, leur rémunération n'étant pas reliée à leur productivité individuelle, mais aux efforts issus de l'ensemble du groupe. Pour remédier à ces difficultés, Alchian et Demsetz proposent de mesurer les contributions individuelles — appelées mesures des inputs, par opposition à la mesure de l'output —, grâce à un système d'observation, de contrôle (« *monitoring* ») et d'évaluation de l'effort de chacun des individus.

Cette solution n'est pas *a priori* très pertinente. En effet, qui va se charger d'effectuer le contrôle des inputs et, de manière complémentaire, comment s'assurer que cette fonction sera remplie efficacement, c'est-à-dire qui contrôlera le contrôleur ? Alchian et Demsetz vont résoudre ce problème en deux temps. Tout d'abord, pour inciter le contrôleur (membre de l'équipe qui se spécialise dans cette tâche) à ne pas se dérober, il suffit de le rétribuer par les gains nets de l'équipe, c'est-à-dire nets de la rémunération des autres inputs. Autrement dit, plus le contrôleur est efficace, plus le résultat de l'équipe sera important, et donc plus le « résidu », ce qui reste après paiement des autres membres de l'équipe, sera élevé. Ensuite, Alchian et Demsetz vont ajouter à cette fonction de contrôle un ensemble de droits qu'ils prétendent nécessaires pour garantir que l'organisation qu'ils envisagent limite efficacement les coûts de surveillance liés à la production en équipe. Ils vont de ce fait identifier cette forme d'organisation à la firme capitaliste entrepreneuriale, le contrôleur, appelé créancier résiduel, correspondant à l'entrepreneur capitaliste. Dirigeant la firme, cet agent central, outre le droit à percevoir le revenu résiduel, le profit, dispose d'un certain nombre de droits : droit de passer les contrats avec les propriétaires des autres inputs, notamment les salariés ; droit d'observer le comportement des membres de la firme, de fixer les rémunérations, d'assigner les tâches et de donner les instructions ; droit de modifier la composition de l'équipe ; droit de vendre l'ensemble des droits précédents.

Ce dernier point de la démonstration est le plus critiquable [Gabrié et Jacquier, 1994]. En effet, l'assimilation de l'équipe contrôlée à la firme capitaliste ne résulte que de l'introduction *in fine* d'un droit totalement *ad hoc* : le droit accordé au contrôleur-manager de revendre l'ensemble de ses autres droits. Or, dans la réalité, c'est bien son statut de propriétaire du capital qui confère au contrôleur l'ensemble de ces droits.

En résumé, pour Alchian et Demsetz, la firme, réduite à un système de mesure de la performance individuelle et d'incitation, émerge lorsque le marché est dans l'incapacité d'assurer la production en équipe, et la forme d'organisation optimale correspond à la firme capitaliste classique, entrepreneuriale.

Réduisant la firme à une structure purement contractuelle, il n'est pas étonnant de trouver une filiation entre Alchian et Demsetz et la théorie des incitations : les problèmes de contrat et d'incitation sont dans les deux cas placés au centre de l'analyse.

La théorie des incitations : la firme comme nœud de contrats incitatifs

Jensen et Meckling franchissent un pas supplémentaire dans l'approche contractuelle de la firme en élargissant la perspective ouverte par Alchian et Demsetz. Pour eux, les relations contractuelles constituent l'essence de la firme, non seulement avec les employés, mais avec les fournisseurs, les clients, les organismes de crédit, etc.

Dans cette optique, la firme est un nœud de contrats, représenté de la manière suivante :

LA FIRME COMME NŒUD DE CONTRATS

salariés
fournisseurs
assureurs
la firme
actionnaires
obligataires
établissements financiers
clients

Ce schéma montre que la firme constitue une création du système juridique, une « fiction légale » (elle n'est pas une personne biologique mais pour autant elle n'est pas fictive pour le droit, voir encadré).

Les juristes et la grande « entreprise » : le contrat de société

En droit, l'« entreprise » n'est pas clairement définie. Pour les juristes, l'entreprise au sens strict renvoie en fait uniquement aux entreprises dites individuelles, lorsqu'une personne physique utilise son propre patrimoine pour créer et développer une activité économique. Dès lors que l'entreprise individuelle grossit, elle peut se transformer en société, le contrat de société étant celui par lequel des personnes (des associés) décident de mettre en commun certaines de leurs ressources pour faire quelque chose en commun et se partager le résultat dégagé (article 1832 du code civil). La société acquiert par ce biais le statut de personnalité morale, et elle dispose d'un nom, d'un siège social, d'un objet social et d'un patrimoine. Le type de société le plus connu est bien évidemment la société anonyme cotée, qui sert de statut aux plus grandes firmes, en leur permettant de lever des fonds importants sur les marchés financiers. Tous les « participants » à la firme autres que les associés sont extérieurs à la personne juridique, la société, qui permet à cette firme de fonctionner (acheter, embaucher du personnel, produire, vendre). Ils ne sont que les cocontractants d'une personne morale existant du fait d'un contrat passé entre les seuls associés et de la reconnaissance par le système juridique de la personnalité morale à la société (mais pas à la firme). Lorsqu'une société est créée, c'est donc avec elle que les autres contrats servant de support à la firme sont passés : contrat de travail, contrat d'achat, etc. Les salariés sont ainsi en relation contractuelle avec la société qui les emploie (voir Robé [1999] pour l'analyse de l'entreprise par les juristes).

La firme est donc une construction artificielle qui a la particularité d'être considérée comme un « individu » par les tribunaux. Elle abrite l'ensemble des contrats bilatéraux conclus entre elle-même et ses fournisseurs, ses salariés, ses managers, ses investisseurs, ses clients. En tant que personne morale, elle sert de réceptacle juridique à l'ensemble des contrats. Pour les tenants de cette conception de la firme, la différence avec la structure contractuelle du marché est dans ces conditions extrêmement ténue. En effet, sur le marché, chaque individu doit négocier des contrats avec l'ensemble des autres individus. Dans la firme, un agent central, commun à toutes les autres parties, contracte avec chacune d'elles (voir encadré).

C'est alors la particularité économique de ces contrats bilatéraux passés par la firme qui doit constituer l'objet d'étude. Or, tous ces contrats prennent la forme d'une relation dite d'agence. Une relation d'agence apparaît chaque fois qu'un individu — appelé le

Le marché et la firme : deux structures contractuelles

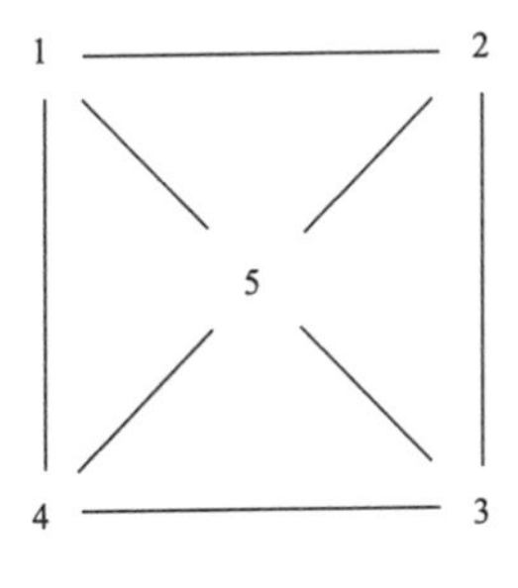

Le marché

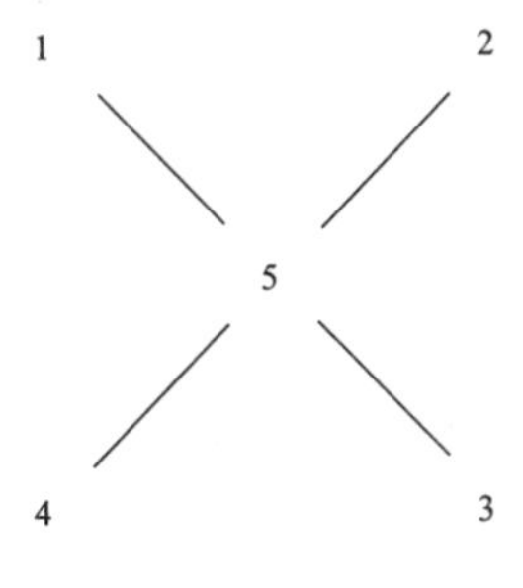

La firme

Ces schémas montrent que la création d'une firme permet de réduire le nombre de contrats bilatéraux nécessaires pour coordonner l'activité économique. Ainsi, pour coordonner l'action de N individus, il faut établir N(N – 1)/2 contrats bilatéraux distincts pour relier directement toutes les parties. En créant une firme, N – 1 contrats suffisent : un entre chaque individu et la firme (la fiction légale : l'agent central n° 5). Dans notre exemple, avec N = 4, la structure du marché nécessite l'établissement de 6 contrats, alors que la firme n'en requiert que 4. La firme, en tant que réceptacle de l'ensemble des contrats, économise dans ces conditions des coûts d'information et de négociation par rapport à la structure contractuelle du marché.

principal — engage une autre personne — appelée l'agent — pour exécuter une tâche dans son intérêt, et ce en situation d'asymétrie informationnelle. La théorie dite des incitations (voir encadré) constitue le cadre adéquat pour traiter de telles relations d'agence [Brousseau et Glachant, 2000]. En effet, cette théorie raisonne à partir d'une situation canonique dans laquelle le principal met au point un schéma d'incitation pour conduire l'agent soit à révéler son information (modèle d'antisélection), soit à adopter un comportement conforme à l'intérêt du principal (modèle de risque ou d'aléa moral).

La théorie des incitations (TI)

Deux hypothèses principales caractérisent cette théorie, apparue dans les années 1980. La TI suppose en premier lieu que les agents sont dotés d'une rationalité économique substantive (ou substantielle) identique à celle de l'*homooeconomicus* de la théorie néoclassique. Leur capacité de calcul est sans limite et ils disposent d'une information complète qui leur permet de connaître dans tous les cas la structure des problèmes auxquels ils font face. Ils raisonnent ainsi dans un univers de risque au sens de Knight, c'est-à-dire que l'incertitude dans laquelle ils se trouvent est probabilisable. Mais, en second lieu, cette théorie suppose que, contrairement à la théorie néoclassique, les agents ne disposent pas de la même information sur les variables qui déterminent leur choix : il y a asymétrie d'information. Certains individus, les principaux, sont sous-informés par rapport à ceux qui vont agir pour eux, les agents. Par ailleurs, les individus, comme chez Williamson, sont supposés opportunistes, c'est-à-dire qu'ils sont prêts à tricher pour satisfaire au mieux leur intérêt personnel. Mais comme la TI mobilise une hypothèse de rationalité substantive, l'opportunisme a une portée plus réduite : il est neutralisé par les clauses contractuelles puisque les agents ont toujours intérêt à respecter le contrat. Le futur se révèle ainsi sans surprises puisque tous les problèmes contractuels pouvant survenir durant le déroulement du contrat sont résolus par la négociation *ex ante*. On dit que les contrats sont supposés « auto-exécutoires ». La théorie fait de plus l'hypothèse qu'il existe un tiers, un tribunal le plus souvent, capable de faire respecter les engagements des individus.

Au total, cette approche contractuelle débouche fondamentalement sur une conception disciplinaire de la firme : le contrat doit contraindre les agents, salariés, fournisseurs, etc. à respecter leurs engagements pris *ex ante*.

Une tentative de synthèse : la firme comme « système incitatif »

Un certain nombre d'auteurs comme Bengt Holmström, Paul Milgrom et John Roberts ont tenté, depuis les années 1980, d'élaborer une théorie de la firme largement inspirée du programme de recherche de la TI. Mais la particularité de ces travaux est d'essayer d'opérer une synthèse entre trois approches : l'approche coasienne et l'accent mis sur l'autorité, l'approche de la théorie des contrats incomplets et l'accent mis sur la propriété (voir *infra*), enfin l'approche de la TI, avec l'accent mis sur les systèmes de rémunération.

Pour ce courant, la firme utilise une variété d'instruments [Holmström et Milgrom, 1994] qui, combinés, doivent inciter les salariés à agir dans l'intérêt de l'employeur. Ces auteurs opposent plus précisément deux systèmes d'incitation. Dans le premier, le travailleur obéit à un agent, il utilise les outils que la firme possède et il perçoit un salaire fixe. Dans l'autre cas, le travailleur choisit lui-même sa méthode de production, il est propriétaire des outils avec lesquels il travaille et est rémunéré en fonction de ce qu'il produit. Autrement dit, le système incitatif combine trois dispositifs, l'autorité, la propriété et le système de rémunération. Il s'agit alors de rechercher la meilleure combinaison possible de ces trois dispositifs, considérés comme endogènes, pour que le travailleur alloue ses efforts de manière optimale, sachant qu'il existe trois facteurs exogènes susceptibles d'influencer cette combinaison : l'incertitude sur le futur, le degré de spécificité des actifs sur lesquels portent les échanges et les coûts de mesure de la performance (output) des travailleurs.

Les principaux résultats sont les suivants. Quand les coûts de mesure de la performance augmentent ou que les activités du salarié sont difficilement évaluables, le système incitatif efficient est celui pour lequel le travailleur aura un salaire peu dépendant de sa production, n'a pas de clients propres et n'a pas le droit de vendre lui-même les produits. Ce premier système d'incitation renvoie pour Holmström et Milgrom, en tendance, à la relation classique entre un employeur et un employé. Inversement, si la performance du travailleur est facile à mesurer, le modèle prédit l'apparition d'une relation d'achat-vente (recours à un travailleur indépendant), ce qui correspond au cas où le travailleur est rémunéré à sa performance, a ses propres clients et est libre de vendre lui-même ses produits.

Quelle est alors pour ses auteurs la nature de la firme ? Reprenant la démarche d'Alchian et de Demsetz [1972], la firme, définie comme une « sous-économie » ou une « économie en miniature » [Holmström, 1999], est vue fondamentalement comme un espace d'incitation des individus, incitation se ramenant généralement à des formules de rémunération entendues comme des formes de compensation de l'effort. En ce sens, la firme est plus appréhendée comme une forme de contrat que comme une organisation, par exemple au sens de Coase. En effet, l'aspect autorité, s'il n'est pas totalement absent, est néanmoins ramené à un simple mécanisme incitatif, dont la fonction est équivalente aux formes de rémunération des salariés. Dès lors, la distinction firme-marché, représentée ici par rapport à la distinction travailleur indépendant-travailleur salarié, est plus une affaire de degré — des incitations — que de nature.

Bilan critique

Que la firme soit un nœud de contrats n'est *a priori* pas contestable. La production et la distribution requièrent en effet de multiples contrats aux formes très variées et comportant de nombreux dispositifs incitatifs. De ce point de vue, la définition de la firme par la TI n'est pas « irréaliste ». En revanche, ce qui est contestable, c'est de considérer qu'elle n'est « qu'un » nœud de contrats. Cette conception a notamment deux implications qui limitent sa portée en tant qu'explication du réel.

D'une part, aucun traitement particulier n'est accordé à la relation d'emploi, celle-ci est mise sur le même plan que les autres relations comme la relation actionnaire-manager ou la relation client-fournisseur. Toute référence à une quelconque forme d'autorité au sein de la firme est dans ces conditions absente (dans la « firme comme système incitatif », l'autorité est ramenée à une forme d'incitation, sa nature n'est pas explicitée). Une citation d'Alchian et Demsetz, dans leur article de 1972, est exemplaire de ce point de vue : « Il est courant de voir la firme caractérisée par le pouvoir de régler les problèmes par des ordonnances, par l'autorité, ou par des actions disciplinaires supérieures à celles utilisables dans les marchés traditionnels. Ceci est une illusion [...]. Elle n'a aucun pouvoir de contrainte, d'autorité ou de discipline différent au moindre degré d'un contrat marchand entre deux personnes quelles qu'elles soient » (p. 77). Ces deux auteurs comparent ainsi la relation employeur-employé avec la relation entre un épicier et son client, en indiquant qu'elles sont identiques ; il s'agit pour eux de deux contrats librement conclus, mutuellement avantageux, et qui peuvent être rompus de manière symétrique. Or, postuler l'indépendance du salarié rentre en contradiction avec les règles juridiques : dans la plupart des pays, ce contrat se traduit juridiquement par un lien de subordination (voir chapitre III). De plus, pour comprendre le fonctionnement de la firme capitaliste, il est nécessaire d'introduire la dimension « hiérarchique » de la relation employeur-employé (chapitre III).

D'autre part, la firme n'est pas appréhendée en tant qu'unité organisationnelle, puisque chaque contrat est étudié séparément [Favereau, 2002]. Tout élément collectif est dissout au profit d'un arrangement contractuel entre des individus dotés d'une rationalité illimitée. C'est méconnaître le rôle de l'organisation qui, loin de se réduire à un mécanisme disciplinaire, est également conçue pour faire valoir des règles qui permettent l'acquisition de savoirs nouveaux, autrement dit l'apprentissage.

Pour appréhender cette spécificité de la firme comme unité organisationnelle et productive, il faudra se tourner vers une autre représentation de la firme, cette fois-ci conçue comme un « panier de compétences » (chapitre II). Auparavant, il nous reste à étudier le dernier courant de l'approche contractuelle, la théorie dite des contrats incomplets.

3. La firme comme « collection d'actifs non humains » : la théorie des contrats incomplets (TCI)

Le point de départ de l'approche de la théorie des contrats incomplets, dont les représentants les plus connus sont Sanford Grossman, Oliver Hart et John Moore, se fonde à la fois sur la problématique dite du « hold-up » et, au moins dans les premiers modèles, sur les travaux de Williamson, notamment ceux qui concernent l'incomplétude du contrat. Fondamentalement, pour la TCI, la question de la firme, et plus précisément de ses frontières, est importante car les incitations varient en fonction de la structure de la configuration des droits de propriété sur les actifs, sachant que la firme s'identifie à l'ensemble des actifs non humains possédés par les propriétaires (actifs physiques mais également immatériels, comme des brevets, une marque). L'étude des relations clients-fournisseurs est ainsi au centre de la TCI. Mais, contrairement à l'analyse de la TCT, la TCI intègre dans un même modèle les coûts et les bénéfices de l'intégration verticale, le passage du marché à la firme modifiant le système d'incitations.

Contrats incomplets et intégration verticale

Sur le plan des hypothèses, si la TCI, à l'instar de la TI, mobilise une hypothèse de rationalité substantive, en revanche, l'information entre les agents est supposée symétrique. Sur cette base, la source de l'incomplétude des contrats ne réside pas, comme dans la TCT, dans la rationalité limitée des agents, mais dans l'incapacité à conclure des contrats complets lorsque aucune tierce partie n'est capable de « vérifier » *ex post* l'état réel de certaines variables centrales de l'interaction entre les agents (ces variables sont ainsi non observables par un tiers), comme par exemple un niveau d'investissement en capital physique (une technologie très complexe) ou humain (l'effort des ingénieurs en matière de recherche et développement) des cocontractants.

Dès lors, pour cette théorie, dans un monde où il existe des coûts de transaction et des contrats incomplets, la propriété des actifs non humains est essentielle car elle procure à son titulaire des droits résiduels de contrôle *ex post* sur ces actifs, c'est-à-dire le droit de décider de tous les usages de l'actif d'une manière qui n'entre pas en contradiction avec le contrat précédent, la coutume ou la loi [Hart, 1995]. Autrement dit, la propriété est source de pouvoir quand les contrats sont incomplets. Supposons par exemple deux firmes indépendantes, un constructeur automobile C et un fournisseur de carrosseries F, qui concluent un contrat pour la fourniture de X carrosseries par jour. Supposons que la demande d'automobiles augmente, demande non prévue dans le contrat initial, compte tenu de la difficulté à anticiper les modifications de l'environnement. Si F est une firme indépendante, C devra demander la permission à F d'augmenter sa production. En revanche, si F est une division de C, et si F refuse de livrer les carrosseries supplémentaires, alors C a la faculté de remplacer les managers de F et d'embaucher quelqu'un qui fournira les carrosseries. F ne peut pas s'opposer au contrôle de ses actifs non humains par C, contrairement à ses actifs humains qui par définition ne peuvent pas être appropriés par C.

Par ailleurs, la structure des droits de propriété affecte les incitations des agents à investir dans une relation donnée. Par exemple, si C possède F, C sera incité à investir dans des actifs spécifiques aux installations de C, car la menace de hold-up par F est fortement réduite. Mais, et il s'agit ici d'une différence fondamentale avec la TCT, les incitations à l'investissement de F sont totalement opposées. En effet, lorsque F est indépendant, les managers de F sont incités à entreprendre des investissements qui diminuent les coûts de production et qui améliorent la production car ils bénéficient directement des revenus de ces investissements. En revanche, si C possède F, les managers de F sont soumis à un risque d'expropriation partiel, voire total de la valeur de leurs innovations. Comme le note Oliver Hart [1995] : « Le bénéfice de l'intégration réside dans le fait que l'incitation de la firme acquisitrice à réaliser des investissements spécifiques augmente puisque, étant donné l'accroissement de ses droits résiduels de contrôle, elle reçoit une fraction plus importante du surplus *ex post* créé par de tels investissements. » Mais l'intégration entraîne des coûts car, inversement, les incitations de la firme acquise à réaliser des investissements spécifiques diminuent puisque, étant donné la réduction de ses droits résiduels de contrôle, elle reçoit une fraction plus faible du surplus *ex post* créé par ses propres investissements.

Notons que le raisonnement inverse, baisse des incitations de C si F possède C, est également vrai. Quelle firme doit dans ces conditions intégrer l'autre ? Formellement, la théorie montre que la propriété doit être attribuée au contractant dont l'investissement préalable a le rendement net le plus élevé [Cahuc, 1998]. Ce rendement devra être suffisamment élevé pour compenser le sous-investissement de l'autre partie contractante. Si les actifs spécifiques sont d'une importance égale, la non-intégration est alors préférable, les niveaux d'investissement seront dans ce cas modérés pour chaque agent. La TCI montre ainsi formellement comment la structure de la propriété des actifs affecte les comportements des agents en matière d'incitation à l'investissement. C'est pour cette raison que cette théorie est parfois appelée « nouvelle théorie des droits de propriété », en référence à « l'ancienne » théorie des années 1960, représentée notamment par Alchian et Demsetz.

Appréciation de la TCI

Le mérite de la TCI est d'intégrer dans un même modèle les bénéfices et les coûts de l'intégration verticale. Dans le cas d'une fusion entre deux firmes, si l'incitation à investir de la firme acquisitrice augmente, en revanche, l'incitation à investir du propriétaire-manager de la firme acquise décroît puisqu'il perd ses droits résiduels de contrôle.

Si la TCI, comme la TCT, met au centre de son analyse la question des frontières de la firme, c'est fondamentalement parce qu'elle souligne les problèmes d'« implémentation » (mettre en place) et d'« enforcéabilité » (faire respecter) des contrats conclus sur le marché, le passage du marché à la firme modifiant ensuite les conditions de mise en œuvre de ces contrats. Mais, alors que la TCT met principalement l'accent sur les problèmes d'adaptation *ex post* du contrat (compte tenu du niveau de spécificité des actifs engagés et de l'incertitude entourant la transaction), la TCI concentre les difficultés contractuelles sur les « distorsions » d'investissements *ex ante*, du fait de l'impossibilité de vérifier *ex post* le niveau des investissements réalisés, notamment les investissements en capital humain.

Contrairement à la TCT, cette théorie n'a pas encore fait à ce jour l'objet de nombreux tests empiriques. En effet, les données pour tester les prédictions de la TCI sont très limitées : comment mesurer des investissements qui par définition sont supposés par la théorie non contractualisables ? Pour procéder à une expérimentation de la TCI, il faudrait ainsi être en mesure d'identifier les revenus marginaux des investissements en fonction des différentes configurations de la structure de la propriété [Whinston, 2001].

On notera pour terminer que la firme est pauvrement définie dans les modèles des droits de propriété [Holmström et Roberts, 1998]. Comme les frontières de la firme correspondent à l'ensemble des actifs non humains possédés par le propriétaire, les actifs humains, en clair les salariés, ne sont pas compris dans ces frontières, et la nature de la firme s'en trouve fondamentalement affectée : la firme de la TCI n'est pas une organisation, elle est simplement contenue dans le contrat reliant le propriétaire et les actifs non humains qui lui appartiennent. Sur ce point, la TCI est finalement proche de la TI : les employés, certes, contractent avec la firme mais ne font pas partie de la firme en tant que tels.

4. Divergence et unité de l'approche contractuelle

Le tableau ci-dessous, qui récapitule les positions des différentes théories contractuelles, montre à la fois les divergences — dues à des hypothèses et des préoccupations différentes — et les complémentarités.

Malgré ces divergences, nous pensons qu'il y a unité des approches contractuelles. En effet, la firme, conçue comme un ensemble de contrats, exerce essentiellement une fonction « disciplinaire » : compte tenu de la spécificité des actifs et/ou des

UNE SYNTHÈSE DES COURANTS CONTRACTUELS*

Théories	*Rationalité*	*Information des contractants*	*Nature de la firme*	*Question centrale*
Théorie néo-classique	substantive	complète et symétrique	fonction de production	variation de la production/variation des prix
TI	substantive	complète et asymétrique	nœud de contrats incitatifs	asymétries informationnelles
TCI	substantive	complète et symétrique	collection d'actifs non humains	problèmes liés à la non-vérifiabilité des investissements
TCT	limitée	incomplète et asymétrique	structure de gouvernance (arrangement privé)	impact de la spécificité des actifs sur les frontières de la firme

* TI = théorie des incitations ; TCI = théorie des contrats incomplets ; TCT = théorie des coûts de transaction.

asymétries informationnelles, l'objectif est d'arriver à concevoir une structure contractuelle qui minimise les coûts liés aux éventuels comportements opportunistes. Si cette fonction de la firme n'est pas contestable (la firme met en œuvre de nombreux dispositifs incitatifs), en revanche, mettre l'accent sur cette seule dimension est réducteur. Comme l'indique Gérard Charreaux [2002], dans ces conditions, l'origine de la « rente organisationnelle » reste mystérieuse ; le schéma contractuel conduit à attribuer la source de la performance d'une firme non pas à la façon dont on crée de la valeur, c'est-à-dire à la façon dont une firme parvient à être plus performante par rapport à une autre dans sa fonction productive, mais à la manière dont la firme met en place les mécanismes d'incitation appropriés.

Cette question d'origine de la rente, est, *a contrario*, au centre des préoccupations des théories dites « cognitives » de la firme.

II / Les approches de la firme par les « compétences »

La théorie des ressources, appelée « *resource-based view* » dans les pays anglo-saxons, constitue le versant « managérial » de l'approche de la firme par les compétences, et elle s'inspire largement de l'ouvrage d'Edith Penrose de 1959, *The Theory of the Growth of the Firm*. La firme, selon Penrose, est une collection de ressources productives et, de plus, l'hétérogénéité des flux et des stocks de connaissances que la firme renferme lui donne un caractère unique. Depuis les années 1990, des tentatives de formalisation d'un nouveau modèle d'analyse stratégique fondé sur les ressources et compétences internes à la firme se sont développées. Les représentants les plus connus de ce courant, qui revendiquent explicitement l'héritage de Penrose, sont Jay Barney [2001], Kathleen Conner et C.K. Prahalad [1996], Nicolai Foss [1999], Biger Wernerfelt [1995].

La théorie évolutionniste s'est d'abord développée à partir de l'ouvrage de Richard Nelson et Sydney Winter, *An Evolutionary Theory of Economic Change* [1982]. Inspirée notamment par l'œuvre de Joseph Schumpeter, elle repose sur trois éléments [Aréna et Lazaric, 2003] : la critique de la théorie économique standard, l'analogie avec la biologie, des fondements microéconomiques reposant sur le concept de routines.

Malgré leur diversité, ces deux approches partagent des dimensions clés qui permettent de les différencier nettement des approches contractuelles [Azoulay et Weinstein, 2000 ; Hodgson, 1998]. Les concepts de contrat, d'asymétrie informationnelle et d'incitation laissent en effet la place à ceux de connaissance, de

Connaissance, information, routine, ressource et compétence

Ressource(s) : les ressources d'une firme à l'instant *t* peuvent être définies comme des actifs à la fois tangibles (ressources financières, physiques, humaines) et intangibles (connaissance, brevets, marque, réputation). Elles sont soit spécifiques à la firme (comme la réputation), soit génériques (une machine achetée sur le marché).

Compétence(s) : capacité pour une firme à assembler des ressources dans le but de réaliser une tâche ou une activité. La ou les compétences d'une firme sont spécifiques, donc non transférables (exemple : un savoir-faire unique). Au niveau d'un individu, la compétence est une connaissance en action.

Information : ensemble de données structurées, ne pouvant engendrer de nouvelles informations.

Connaissance : au niveau d'un individu, ensemble de savoirs, capacité cognitive et capacité d'apprentissage (production de nouvelles informations et connaissances). Elle est tacite ou explicite. Elle représente une ressource pour la firme.

Routine(s) : les routines sont définies par Nelson et Winter comme tous les schémas de comportements réguliers et prévisibles des firmes, elles ont le même rôle que les gênes dans la théorie de l'évolution biologique. La routine caractérise un ensemble d'interactions organisationnelles plus ou moins codifiées, solutions à des problèmes concrets. Les routines statiques comprennent la capacité de reproduire certaines tâches effectuées antérieurement. Les routines dynamiques sont orientées vers l'apprentissage et le développement de nouveaux produits et procédés. Comme ces routines s'appuient sur des connaissances en partie tacites, elles ne peuvent être imitées, elles vont donc différencier les firmes et être à la base de performances différentes entre des firmes concurrentes.

routine, de ressource et de compétence (voir encadré). Au-delà, elles proposent une vision renouvelée de la nature et de la dynamique de la firme.

1. Les oppositions entre approches contractuelles et approches par les compétences

Rationalité substantive versus *rationalité limitée*

Retenant une hypothèse comportementale de rationalité limitée, Nelson et Winter notent que les firmes n'ont pas la possibilité de réaliser des calculs optimaux, et ce d'autant plus lorsque l'environnement est instable et les décisions complexes et incertaines. Les décideurs recourent alors, à l'instar des décideurs « simoniens », à une solution dite « satisfaisante », puisque obtenir la meilleure solution est hors d'atteinte. L'hypothèse de maximisation des profits de l'approche standard doit ainsi être abandonnée. Certes, les considérations relatives au calcul ne sont pas entièrement écartées, mais elles s'effacent au profit de l'accent mis sur les notions de routines et d'habitudes qui canalisent les actions humaines dans des contextes particuliers.

Allocation des ressources versus *création de ressources*

Selon la perspective walrassienne de l'économie, toutes les firmes ont accès aux mêmes facteurs de production. Au contraire, pour les approches par les compétences, les ressources nécessaires à la firme sont largement spécifiques, elles ne peuvent être acquises directement sur le marché. La croissance et les performances des firmes reposent sur un processus endogène de création et d'accumulation de ces ressources. De ce point de vue, une convergence fondamentale entre la théorie évolutionniste et la théorie des ressources est la reconnaissance de l'hétérogénéité des firmes : celles-ci n'ont pas toutes les mêmes caractéristiques et les mêmes capacités, y compris dans une même industrie.

L'accent placé sur la création interne de ressources s'accompagne logiquement d'une problématique de production, contrairement aux approches contractuelles qui s'intéressent au processus d'allocation des ressources. Or, la création de ressources ne peut pas faire l'objet d'un contrat. La production repose sur les capacités des individus, capacités qui, compte tenu de la nature spécifique du capital humain, ne sont pas données ; les conditions d'apprentissage dans la firme sont alors essentielles.

Efficience statique versus *efficience dynamique*

Alors que les approches contractuelles privilégient l'efficience statique, les approches évolutionnistes se focalisent sur l'efficacité dynamique. Les connaissances et les compétences étant à la base des performances des firmes, il s'agit de comprendre les conditions de formation, d'évolution et de transformation de ces connaissances et compétences. De plus, la firme est soumise à des « contraintes de sentier » (« *path-dependency* »). Ceci signifie que, pour les évolutionnistes, « l'histoire compte », au sens où le comportement futur de la firme est contraint par ses investissements antérieurs et son répertoire de routines. Le sentier d'évolution de la firme est ainsi prédéterminé par la nature même de ses actifs spécifiques. Ce point de vue constitue une remise en cause importante de la théorie standard, pour laquelle les firmes disposent d'une infinité de technologies entre lesquelles elles peuvent choisir à tout moment, en fonction de la modification du prix des facteurs.

Enfin, l'accent mis sur l'incertitude radicale (on ne peut pas probabiliser le futur, par exemple les résultats de la recherche-développement) oblige à mettre au centre de l'analyse les questions d'apprentissage et d'innovation. Dans cette optique, la firme doit faire face à la complexité et au changement alors même qu'elle est contrainte par son histoire passée.

Information versus *connaissance*

Les conceptions contractuelles reposent toutes sur l'hypothèse selon laquelle la firme est conçue comme un « processeur d'informations », c'est-à-dire que son comportement peut être déduit des signaux informationnels qu'elle détecte dans son environnement [Cohendet et Llerena, 1999]. L'information représente un ensemble fermé de possibilités potentiellement accessibles, mais qui ne le sont pas nécessairement pour tous les acteurs. De cette situation naissent les asymétries d'information.

L'accent mis sur les problèmes informationnels, au détriment d'une approche fondée sur la connaissance, découle largement de l'hypothèse de rationalité substantive qui est mobilisée par la plupart des théories contractuelles. La possibilité d'introduction de dimensions cognitives comme par exemple l'apprentissage est quasiment impossible ; les capacités cognitives des agents sont soit données, soit supposées se déformer homothétiquement en fonction de l'information accumulée par les agents. La notion de connaissance est dès lors envisagée comme un simple stock qui résulte de l'accumulation de flux d'information.

Pour les approches fondées sur les compétences, l'accent mis sur la connaissance est central. La connaissance est une capacité d'apprentissage et une capacité cognitive, tandis que l'information reste un ensemble de données formatées et structurées, ne pouvant par elles-mêmes engendrer de nouvelles informations. Par opposition à l'information, la connaissance représente un ensemble ouvert, subjectif, et qui résulte de l'interprétation de l'information par les individus. De nombreux travaux mettent ainsi l'accent sur l'existence de « schémas cognitifs partagés » [Hodgson, 1998]. Par exemple, l'accroissement d'un dividende, qui constitue une information, produira un élément de connaissance différent selon le modèle interprétatif adopté par l'individu. Des dirigeants, des administrateurs, des actionnaires importants seront amenés à émettre des propositions incompatibles ou à s'opposer quant à la viabilité industrielle d'un projet parce qu'ils ne partagent pas le même modèle cognitif, alors même qu'ils disposent des informations identiques [Charreaux, 2002]. Si les asymétries d'information donnent lieu à des conflits d'intérêt, des modèles cognitifs différents, des systèmes de représentation différents déboucheront sur des conflits cognitifs. La coordination entre individus qui ont des connaissances et des représentations du monde opposées nécessitera selon le cas des règles, des routines, des langages, des procédures, etc., donc des dispositifs bien différents des contrats mobilisés par les théories contractuelles.

L'approche par les compétences, en donnant la priorité à la manière dont est organisée la production, invite à reconsidérer fondamentalement la nature de la firme.

2. Nature et frontières de la firme : apprentissage, compétence et évolution

La firme : un lieu d'apprentissage

L'accent mis sur les connaissances confère logiquement une place centrale à l'apprentissage. On distingue généralement deux niveaux d'apprentissage [Foray, 2000]. Le premier est qualifié d'apprentissage routinier, il dépend de la répétition de l'action et de l'imitation. Plus les individus répètent une activité, plus ils améliorent leur performance (« *learning by doing* »). On parle également d'apprentissage en boucle simple pour ce premier niveau ; il améliore les pratiques à l'intérieur de cadres établis et il fournit des repères immédiats. Le deuxième niveau d'apprentissage consiste à réaliser des expériences au cours de l'activité de production de biens ou de services. Il s'agit d'un apprentissage en boucle double si le cadre de référence (les stratégies, les valeurs) est modifié. Si ces expériences sont présentes dans de nombreuses activités de la firme, alors la production de la connaissance devient collectivement distribuée.

À partir de là, la question posée à la firme est bien évidemment celle de la codification de la connaissance produite par l'apprentissage. La distinction entre connaissances tacites et connaissances codifiées, due à Michaël Polanyi, est ici centrale. Les connaissances tacites sont non exprimables hors de l'action de celui qui les détient, et le fait de les posséder est même ignoré ou négligé par leur détenteur. Par là même, la connaissance tacite est un bien qui se prête difficilement à de nombreuses opérations : leur diffusion et leur apprentissage sont coûteux et difficiles à mettre en œuvre ; leur stockage et leur mémorisation sont conditionnés par le renouvellement — de génération en génération — des personnes qui détiennent ces connaissances ; elles sont difficilement répertoriables et classables. La codification désigne le processus par lequel on convertit une connaissance en un message, qui peut ensuite être manipulé comme de l'information ; la connaissance est ainsi placée sur un support, donc détachée de la personne à l'origine de la connaissance. Pour les approches fondées sur les compétences, la présence de connaissances tacites explique les difficultés d'imitation et de transférabilité des compétences d'une firme à une autre.

Enfin, les phénomènes d'apprentissage, qui débouchent sur de nouvelles connaissances, vont ensuite s'incarner dans des routines organisationnelles.

En mettant l'accent sur l'apprentissage organisationnel, l'approche par les compétences propose une justification positive de l'existence de la firme, qui, du coup, n'apparaît pas — seulement — à cause de la présence des défaillances du marché. Elle n'est plus une forme par défaut, elle possède une efficacité qui lui est propre et qui lui permet de réaliser des opérations inaccessibles à des individus isolés. Dans cette perspective, la firme possède trois avantages principaux [Ménard, 1990]. Elle apparaît tout d'abord comme un moyen d'accroître la capacité de traitement de l'information, étendant ainsi le domaine de rationalité des membres de la firme. La firme constitue en outre un moyen de réduire les conflits entre ses membres. Pour Nelson et Winter, les routines organisationnelles facilitent la coordination dans la firme, elles représentent des « trêves » (« *truce* ») qui canalisent les conflits. Enfin, lorsque l'environnement est incertain, les routines favorisent un comportement adaptatif des individus — donc de la firme —, grâce à l'établissement de règles communes, d'un langage propre et d'objectifs partagés.

La firme : un « panier de compétences »

Les mécanismes d'apprentissages et les routines, combinés aux ressources, sont à l'origine des compétences de la firme. Les compétences constituent la base des capacités concurrentielles d'une firme dans une activité particulière La firme doit donc d'abord repérer les compétences susceptibles de lui procurer cet avantage (voir encadré). Ces compétences centrales (*core competencies*), rendues célèbres par Prahalad et Hamel dans un article intitulé « The Core Competence of the Corporation » [1990], sont également qualifiées de foncières ou de distinctives.

Comment identifier les compétences distinctives d'une firme ?

Six conditions doivent être respectées [Tywoniak, 1998] : 1) la valeur : la compétence doit permettre d'exploiter une opportunité ou de neutraliser une menace de l'environnement, ou représenter une contribution significative à la valeur du produit final pour le client ; 2) la rareté : la compétence doit être rare, c'est-à-dire qu'un nombre limité seulement de firmes peut y avoir accès ; 3) la non-imitation : la compétence doit être difficilement imitable afin d'empêcher les concurrents de répliquer la stratégie ; 4) la longévité : la longévité de la compétence dépend de facteurs tels que la durée du cycle d'innovation technologique, la fréquence de nouveaux entrants dans l'activité, etc. ; 5) la non-substitution : pour conserver sa valeur, la compétence ne doit pas avoir de substituts aisément accessibles ; 6) l'appropriation : les auteurs insistent sur la nécessité pour une firme de s'approprier le surplus résultant de l'exploitation des compétences. De ce point de vue, la question des droits de propriété est centrale.

Ce n'est que lorsque ces six conditions sont respectées qu'une compétence peut permettre d'obtenir un avantage concurrentiel.

Une stratégie de développement s'articule donc nécessairement autour d'un métier, qui cristallise la (ou les) compétence(s) foncière(s) de la firme. Leur transfert et leur imitation étant difficiles, ces compétences sont généralement à l'origine de la réputation de la

Quelques exemples de compétences distinctives

Domaines	*Compétences distinctives*	*Exemples de firmes*
Ressources humaines	savoir-faire en formation et en développement des ressources humaines rares	IBM
Recherche et développement	capacité de développer des produits entièrement nouveaux	Sony
Conception	originalité du design et esthétique industrielle	Apple
Logistique	capacité d'optimiser les coûts de logistique et d'approvisionnement	Carrefour
Fabrication	flexibilité de l'outil et rapidité de réponse	Benetton
	production de masse pour un service de masse	McDonald
Vente et distribution	maîtrise d'un réseau de détaillants en propre	Louis Vuitton
Marketing	création et gestion des marques	L'Oréal
Service	service complet accompagnant le produit, de l'étude jusqu'à l'entretien	Decaux
Vente	service après-vente	Darty

Source : [Torrès-Blay, 2000, p. 231].

firme. Elles renvoient à des domaines aussi divers que les ressources humaines, le marketing, le service, la recherche-développement, etc. (voir encadré). L'existence d'une compétence foncière explique pourquoi des usines et des équipements produisent plus quand ils sont possédés par une firme plutôt que par une autre. « Ces gens sont bons en matière de… » résume les perceptions extérieures quant à la nature de ces compétences [Dosi, Teece, Winter, 1990].

Cette approche, en proposant un cadre qui se veut alternatif à celui de la théorie des coûts de transaction, renouvelle les réflexions sur les frontières de la firme. Trois motifs principaux expliquent pourquoi les firmes sont amenées à se concentrer sur seulement une ou deux compétences centrales.

La première renvoie aux capacités cognitives limitées des membres de la firme. Dans un contexte d'économie fondée sur la connaissance, les individus disposent de capacités cognitives qui évoluent par définition dans le temps. L'important, dès lors, c'est la manière dont ces individus « apprennent ». S'appuyant sur des travaux de James March et de Herbert Simon, Patrick Cohendet et

Patrick Llerena [1999] notent que les individus n'ont qu'une aptitude limitée à focaliser leur attention et ils ne peuvent se concentrer que sur quelques processus d'apprentissage seulement. Du fait de la rapidité des processus de production et de codification de la nouvelle connaissance, c'est l'attention et non plus l'information qui devient la ressource rare. Deux sous-espaces de connaissances se créent ainsi au sein de l'espace global des connaissances d'un individu, un sous-espace sur lequel il va concentrer son attention cognitive et participer activement à la création des connaissances, et un sous-espace sur lequel l'agent se contente d'être informé. Transposé au niveau de la firme, ce découpage de l'espace des connaissances explique pourquoi la firme va concentrer ses ressources cognitives sur une ou deux compétences de base qu'il faut identifier, développer, protéger et améliorer en permanence.

De plus, dans une économie fondée sur les connaissances, le management des compétences est très coûteux. La production, l'accumulation et la circulation des connaissances stratégiques entre les composantes de la firme nécessitent des investissements et un engagement continus pour maintenir et renforcer l'avantage concurrentiel. Compte tenu de ces impératifs de coûts, la firme ne peut sélectionner et entretenir qu'un nombre limité de compétences de base.

Une dernière raison, que nous reverrons de manière plus approfondie dans le chapitre VI, explique également la concentration des ressources sur une ou deux compétences de base. Comme l'a noté George Richardson dans un article intitulé « The Organization of Industry » [1972], il existe des rendements décroissants à vouloir étendre la ressource connaissance (qu'il appelle « *capabilities* ») à plusieurs activités. Les firmes ont ainsi tout intérêt à concentrer leurs ressources sur des activités « similaires », c'est-à-dire celles qui demandent des connaissances reliées entre elles.

Au total, c'est donc au sein de ce cœur de compétence que la firme fonctionne comme un véritable processeur de connaissances, en privilégiant la création de ressources.

Mais la délimitation d'un espace de compétences de base, distinctives, suggère qu'il existe un espace complémentaire dans le périmètre de la firme, espace qui, lui, ne fait pas l'objet d'une attention cognitive soutenue et qui ne réclame pas des ressources aussi importantes que les activités du « cœur ». On peut alors faire l'hypothèse que ces activités courantes, hors cœur de compétence, sont gérées en accord avec la présentation des approches contractuelles de la firme, et cette dernière fonctionne dans cet espace comme un processeur d'informations. Pour ce deuxième ensemble d'activités, l'aspect allocation des ressources l'emporte sur l'aspect création.

L'évolution de la firme

La présence de deux sous-espaces d'activités de la firme explique, dans une perspective évolutionniste, comment la firme est susceptible d'évoluer dans le temps. Les évolutionnistes proposent une explication endogène du changement d'activité principale de la firme. Par le biais de leurs compétences secondaires, les firmes vont éventuellement s'engager dans des trajectoires différentes de celles qu'elles suivent compte tenu de leurs compétences centrales et de leurs routines. Ces compétences complémentaires sont par exemple une compétence amont (une équipe de chercheurs capables de concevoir des produits nouveaux) ou une compétence aval (des méthodes de marketing et des circuits de distribution). À l'occasion du développement de la firme, les compétences secondaires pourront déboucher sur des trajectoires de production nouvelles. C'est la présence d'opportunités technologiques qui est susceptible de déclencher ce processus d'évolution : leur importance et leur ampleur au voisinage des activités principales de la firme auront en effet des répercussions sur le choix des activités.

Néanmoins, ce processus est encadré par la nature de la sélection qui s'effectue sur les marchés [Dosi, Teece, Winter, 1990]. L'environnement de sélection renvoie principalement à la concurrence sur le marché des produits et du capital, à la politique publique, par exemple la réglementation, et à la fréquence des discontinuités technologiques. Selon la configuration prise par ces trois éléments, l'environnement sera soit « lâche », soit étroit, et donc pèsera de manière différente sur le processus de sélection et d'évolution de la firme. La disponibilité en liquidité constitue un dernier facteur clé de la sélection. En effet, une firme disposant de liquidités abondantes sera à même de saisir les opportunités d'investissements et donc de survivre. Dans le cas contraire, elle sera soumise à la discipline du marché des capitaux, ce qui affectera la force des processus de sélection. Dans tous les cas, ce processus d'évolution est fortement dépendant des routines dominantes de la firme. En effet, la prégnance des routines d'exploitation (règles explicites et implicites qui facilitent la stabilité interne de la firme) peut conduire à un blocage des routines d'exploration, notamment l'innovation, limitant alors la capacité d'adaptation de la firme à son environnement.

3. Une appréciation des approches par les « compétences »

Les approches par les compétences, en (re)donnant la priorité à la production, renouvellent profondément l'analyse de la firme. Elles ont le mérite de proposer sur ce point une définition réaliste de la firme et d'être plus proches des réalités vécues par les dirigeants et donc d'offrir des clés de lecture pour comprendre les choix stratégiques des firmes et leur évolution [Lebas, 2003]. Contrairement à la conception de la firme comme nœud de contrats, la firme est vue ici comme une véritable organisation. La connaissance procède en effet beaucoup plus de l'organisation collective que des individus qui la composent. Par conséquent, ce sont les firmes et non les personnes qui travaillent pour les firmes qui savent comment produire de l'essence, des automobiles et des ordinateurs. L'articulation entre apprentissage individuel et compétence collective de la firme est au cœur de la réflexion sur la création des ressources.

Pour autant, ce courant n'est pas exempt de critiques. L'accent mis sur les questions de cognition et d'apprentissage relègue au second plan, voire l'exclut totalement, la question des incitations dans la firme. Cette question est pourtant centrale, surtout nous semble-t-il dans une économie fondée sur les connaissances. Quels sont les dispositifs qui permettent de favoriser l'émergence de la connaissance, sa transmission, sa diffusion ? Comment susciter la coopération entre les individus et dans le même temps protéger la spécificité des actifs humains ?

En outre, la notion centrale de compétence reste une catégorie analytique mal définie [Brousseau, 1999]. Comment se matérialisent ces compétences ? S'agit-il des savoirs des individus, des connaissances inscrites dans les règles et les routines organisationnelles, de celles qui sont matérialisées et codifiées dans des documents et fichiers ? Comment passe-t-on des connaissances individuelles aux compétences de base ? Autrement dit, concrètement, une firme ne pilote pas des « compétences », mais des ressources humaines, informationnelles et matérielles, qui de fait ne constituent pas des catégories de la théorie évolutionniste. Il existe ainsi de nombreuses règles formelles qui encadrent les comportements des salariés et qui restreignent leur autonomie. Comment ces règles, d'allocation, de formation et de rémunération, pour ne citer que les plus importantes, interagissent-elles avec les processus d'apprentissage ?

Enfin, la théorie évolutionniste se focalise sur les conflits cognitifs, et néglige totalement les rapports de propriété et de pouvoir existant dans la firme. La relation employeur-employé, dans sa dimension conflictuelle, n'est ainsi absolument pas traitée. Les évolutionnistes ont, semble-t-il, une tendance à postuler d'emblée une conception « coopérative » de la firme, sans voir que la firme est également une institution enchâssée dans des rapports sociaux qui délimitent les « positions » des uns et des autres. Dans une firme capitaliste, des individus commandent et d'autres obéissent.

L'objet des deux chapitres suivants est justement de mettre l'accent sur ces deux dimensions de la firme : à la fois lieu de pouvoir et objet de propriété.

III / La firme : une hiérarchie et un lieu de coopération

Au-delà de la présentation de la firme en termes de rapports contractuels ou de rassemblement de compétences, il existe selon nous une « réalité sociologique » de la firme qui doit être prise en compte. En effet, à s'en tenir à la vision de la firme comme simple nœud de contrats, la firme est désincarnée, elle est réduite à une « combinatoire » non hiérarchisée de rapports bicontractuels entre des individus indépendants [Saussois, 1997]. Il n'y a alors pas lieu de distinguer la firme du marché [Jensen et Meckling, 1976]. Or, tous les jours, des salariés se rendent dans leur firme, et pour eux la frontière entre le marché et la firme existe bel et bien. Si la firme est le lieu d'un travail individuel ou collectif, comme nous l'avons vu dans le chapitre précédent, elle se caractérise également fondamentalement par l'exercice d'une « hiérarchie », laquelle hiérarchie donne naissance à une relation d'autorité. Cette autorité permet-elle de faire face à l'incomplétude du contrat de travail ? De plus, si la firme est une hiérarchie, un espace disciplinaire, n'est-elle pas également un espace de coopération entre l'employeur et les salariés ?

1. La firme : une organisation hiérarchique

Les théories contractuelles ne contestent pas la présence d'une relation d'autorité dans la firme, mais cette autorité est acceptée volontairement. Contrairement à cette conception consensualiste, nous pensons que la hiérarchie et l'autorité s'imposent aux salariés.

Il est très important de distinguer les deux concepts de hiérarchie et d'autorité, qui sont souvent confondus. Pour Claude Ménard, « il y a hiérarchie entre deux sous-ensembles de participants A et B quand le sous-ensemble B se réfère aux objectifs du sous-ensemble A plutôt qu'aux siens propres lorsqu'il prend une décision, et subordonne sa décision à celle de A lorsqu'il y a conflit. On peut alors qualifier A de sous-ensemble d'élaboration des décisions, et B de sous-ensemble d'exécution » [1990, p. 33]. L'autorité, elle, se définit par « le transfert du pouvoir de décision, de façon explicite ou implicite, d'un agent ou d'une classe d'agent à d'autres agents [*ibid.*, p. 30]. Autrement dit, la hiérarchie implique nécessairement une subordination du pouvoir de décision, ce qui n'est pas nécessairement le cas de l'autorité, qui peut résulter d'une délégation du pouvoir de décision par pur consentement. L'existence d'une hiérarchie s'accompagne donc toujours d'une relation d'autorité, mais l'inverse ne se vérifie pas nécessairement. Or, les théories contractuelles tendent à confondre hiérarchie et autorité, faisant de la relation employeur-employé un acte de pur consentement. C'est notamment le cas d'Alchian et Demsetz, mais également celui de Williamson [1975]. D'une part, il utilise indifféremment les termes de hiérarchie et d'autorité, entretenant la confusion entre les deux concepts, et, d'autre part, les salariés selon lui accepteraient « volontairement » de subordonner leurs décisions à celles de l'employeur. Dans l'esprit de Williamson, les individus arbitreraient ainsi entre intégrer une hiérarchie — une firme — ou choisir un autre mode d'organisation économique, par exemple une firme autogérée. S'ils choisissent la première branche de l'alternative, c'est qu'en fin de compte, en acceptant — librement — l'autorité et donc une relation hiérarchique, ils augmentent leur niveau de satisfaction. Autrement dit, pour Williamson, l'autorité résulte d'une adhésion librement consentie par l'individu, qui considère d'emblée que la relation hiérarchique est bénéfique pour lui [Baudry, 1999]. Au total, l'autorité intrafirme résulte pour cet auteur d'un contrat implicite entre l'employeur et l'employé : l'individu obéit tant qu'il considère que l'employeur, de son côté, crée les conditions de cette acceptation, notamment en versant une rétribution perçue comme suffisante par l'employé, et en ne sortant pas de la zone d'acceptation définie *ex ante*.

Ce raisonnement est très proche de celui de la théorie des incitations. Simplement, pour cette théorie, comme les salariés sont par définition jugés opportunistes ou « tire-au-flanc », le contrat doit intégrer une contrainte dite de participation (les individus obtiennent un gain au moins égal à celui qui résulterait de leur deuxième meilleur choix disponible). En revanche, pour Williamson, les salariés ont *ex ante* une certaine forme de « bienveillance » vis-à-vis de leur employeur ; ils acceptent *a priori* les objectifs de la firme.

Finalement, pour l'ensemble du courant contractuel, les salariés ont toujours « intérêt » à accepter l'autorité car ce mode de coordination est le plus efficient pour eux, comparativement à d'autres, notamment non capitalistes (voir les ouvrages d'Hubert Gabrié et Jean-Louis Jacquier, *La Théorie moderne de l'entreprise* [1994], et de Pierre Dockès, *Pouvoir et autorité en économie* [1999], pour une critique pertinente de cette thèse qui relève plus de l'idéologie que de la démonstration historique).

Les fondements de la hiérarchie et de l'autorité

Les fondements économiques

C'est la détention inégale des droits de propriété entre l'employeur et l'employé qui fonde la « hiérarchie » : « Dans une économie fondée sur la détention et l'échange de droits de propriété, le rapport salarial est un mode spécifique d'expression de la relation hiérarchisée entre agents économiques » [Ménard, 1990, p. 33]. La hiérarchie constitue ainsi le fondement de l'autorité dans la firme capitaliste.

La théorie des contrats incomplets, qui reprend en fait l'analyse ancienne de Karl Marx, propose, ce qui ne manque pas de « piquant », un support théorique pertinent pour comprendre pourquoi les salariés obéissent [Baudry et Tinel, 2003]. Reprenant la célèbre discussion d'Alchian et Demsetz [1972] sur la source incertaine de l'autorité, où ceux-ci comparent la relation employeur-employé à celle que nouent un épicier et son client, Hart [1995] suggère que la question pertinente est : pourquoi un employé prête-t-il probablement plus attention à ce que lui ordonne son employeur que ne le fait un contractant indépendant ? Dans le premier cas, répond-il, si la relation s'arrête, l'employeur part avec tous les actifs non humains, en revanche dans l'autre cas chaque contractant indépendant conserve des actifs non humains. L'individu *i* est davantage susceptible de faire ce que veut l'individu *j* si *j* peut exclure *i* des actifs dont *i* a besoin pour être productif, que si *i* peut garder ces actifs avec lui. En d'autres termes, le contrôle des actifs non humains mène au contrôle des actifs humains. Pourquoi le salarié obéit-il à l'employeur ? Parce que ce dernier peut le priver de l'usage des moyens de production. Cela suppose que l'employé dispose de peu d'alternatives en dehors de sa relation spécifique avec son employeur pour valoriser son effort productif. Par conséquent, sa force de travail n'est pas redéployable sans coûts importants. L'employeur, quant à lui, n'est pas dépendant de son employé car si la relation cesse, il ne perd pas la totalité de son revenu, contrairement au salarié, et de plus il cherchera à organiser la production de manière à pouvoir le remplacer pour un faible coût. Autrement dit, l'employé est dépendant économiquement de son employeur.

L'autorité de l'employeur sur l'employé est donc indirecte car elle découle du pouvoir que confère la propriété. Les fondements de l'autorité dans la firme sont donc, selon Hart, à relier à la propriété. On retrouve bien ici, comme d'ailleurs le note Hart lui-même, l'analyse marxiste du pouvoir au sein de l'entreprise capitaliste.

Les fondements juridiques de l'autorité

Néanmoins, la propriété des actifs non humains ne constitue pas le seul fondement du pouvoir et de l'autorité dans la firme. En effet, les règles juridiques, et plus précisément le droit du travail, consacrent institutionnellement l'autorité de l'employeur, en reconnaissant à ce dernier un pouvoir de direction des personnes. Ce faisant, le droit du travail prend acte de la réalité collective de la firme, donc au-delà d'une simple collection de contrats.

Bien qu'il n'y ait pas de définition légale du contrat de travail, un consensus se dégage en vertu duquel ce dernier est la convention par laquelle une personne physique, le salarié, met son activité au service d'une autre personne, l'employeur, sous l'autorité de laquelle elle se place, moyennant le versement d'une rémunération [Jeammaud, Le Friant, Lyon-Caen, 1998]. La qualification de salarié requiert la réunion simultanée de trois éléments : une prestation personnelle de travail, une rémunération de cette prestation, et un lien de subordination. Des trois critères, c'est celui de la subordination qui s'avère déterminant en cas de litige pour « qualifier » le contrat en contrat de travail. Le travail est ainsi exécuté sous l'autorité d'un employeur qui a le pouvoir de donner des ordres et des directives, d'en contrôler l'exécution et de sanctionner les manquements de son employé. Cette subordination est l'expression juridique de l'inégalité de la relation d'emploi : l'ordre juridique habilite l'employeur à prendre une série de décisions qui affectent le salarié, et ce dernier doit s'y soumettre, à l'intérieur d'une zone d'acceptation. Cette inégalité résulte des pouvoirs dont dispose l'employeur, pouvoirs largement procurés par la détention des droits de propriété sur les actifs non humains de la firme : (1) un pouvoir de direction économique qui l'habilite à faire des choix de création, suppression ou transformation d'activité, implantation, organisation de la production ; (2) un pouvoir de direction des personnes, qui l'habilite à recruter un salarié, à l'affecter à une tâche ou un poste de travail, à fixer sa rémunération, à diriger et contrôler l'exécution de son travail. Cette deuxième prérogative permet d'opposer le travail salarié au travail indépendant car, dans le cas d'une transaction commerciale, le contrôle ne peut porter que sur le résultat du travail ; (3) un pouvoir disciplinaire, qui habilite l'employeur à prononcer des sanctions (blâme, mise à pied, licenciement) à l'encontre des salariés qui commettent des fautes, par exemple dans le cas d'un travail de mauvaise qualité.

Si le droit du travail consacre l'inégalité des parties, simultanément il édicte des règles chargées de « protéger » le salarié contre l'arbitraire de l'employeur, et il organise de surcroît des rapports collectifs de travail pour rééquilibrer le pouvoir dans la firme. De ce fait il institutionnalise la firme, en reconnaissant sa nature d'action collective organisée.

2. Intérêt et limites de la relation d'autorité

Intérêt économique de l'autorité

Le concept de subordination juridique renvoie aux analyses économiques qui placent l'autorité de l'employeur au cœur de la firme, et notamment les analyses relevant de la « lignée » Coase-Simon-Williamson. Chacun de ces auteurs pointe différents avantages liés à la présence d'une autorité intrafirme, notamment si on fait l'hypothèse — réaliste — d'incomplétude du contrat de travail (voir encadré). Compte tenu de cette incomplétude, la relation d'emploi est susceptible d'être affectée par les comportements stratégiques, ou opportunistes, des contractants. Comme l'a montré Harvey Leibenstein [1982], dès lors que le contrat de travail ne spécifie pas complètement la productivité, employeurs et employés se retrouvent dans la situation classique, en théorie des jeux, du dilemme du prisonnier : chaque contractant peut opter soit pour une stratégie pacifique, c'est-à-dire produire un effort maximal pour l'employé et offrir un salaire maximal pour l'employeur, soit pour une stratégie agressive, c'est-à-dire choisir un niveau d'effort minimal pour le salarié et offrir un salaire minimal pour l'employeur. L'ensemble des solutions possibles est donné par la matrice des gains suivante :

DILEMME DU PRISONNIER ET RELATION D'EMPLOI

Employeur *Salariés*	*Stratégie pacifique (salaire maximum)*	*Stratégie agressive (salaire minimum)*
Stratégie pacifique (effort maximum)	(15,15)	(3,20)
Stratégie agressive (effort minimum)	(20,3)	(5,5) (dilemme du prisonnier)

En l'absence de mécanismes de coordination appropriés, la relation d'emploi a alors toutes les chances de déboucher sur la solution non optimale pour les contractants, c'est-à-dire la case (5,5). Quels sont dans ces conditions les avantages de l'autorité ?

Pour Coase, en créant une organisation et en permettant à une autorité (l'entrepreneur) de répartir les ressources, deux types de coûts liés au fonctionnement du marché peuvent être évités : d'une part les coûts de négociation et de conclusion de contrats séparés, puisque, au lieu de signer tous et individuellement un contrat — d'achat-vente — avec chacun des autres agents, les individus ne vont signer qu'un seul contrat — de travail — avec l'entrepreneur ; d'autre part des coûts d'organisation de la production, car il s'avère moins coûteux pour les parties de signer un contrat à long terme plutôt qu'un ensemble de contrats à court terme, en particulier

L'incomplétude du contrat de travail

Les économistes distinguent généralement deux sources d'incomplétude du contrat de travail.

Il existe des aléas externes qui peuvent survenir postérieurement à la signature du contrat de travail : modification de la demande finale adressée à la firme, de l'état de la technologie, etc. Or, la rationalité limitée des individus ne leur permet pas de recenser l'ensemble de ces aléas et donc de conclure des contrats contingents complets (voir chapitre I).

Les aléas internes résultent de la situation d'asymétrie informationnelle à laquelle est confronté l'employeur. D'une part, il est difficile d'apprécier *ex ante* les qualités d'un salarié potentiel. D'autre part, comme les tâches ne sont pas totalement spécifiées *ex ante*, l'employé dispose d'une certaine latitude dans le choix de son niveau d'effort (l'intensité et la qualité du travail ne sont pas, ou seulement en partie, maîtrisées par l'employeur). L'employeur est alors dans l'incapacité de déterminer *ex post* le niveau d'effort mis en œuvre par le salarié.

quand il est difficile pour l'employeur de prévoir ce que devra faire l'employé.

Pour Simon [1951], il est impossible, lors de la conclusion du contrat de travail, de totalement spécifier l'ensemble des tâches que devra réaliser le salarié, ce qui différencie ce contrat du contrat d'achat-vente, considéré comme « complet » puisque les prestations réciproques sont complètement définies. Par le biais de ce contrat, le salarié accepte, à l'intérieur d'une zone d'acceptation, d'obéir dans le futur à l'employeur, qui pourra sélectionner à tout moment une tâche plutôt qu'une autre. Cet auteur montre alors que, en situation d'incertitude sur le marché des produits, l'employeur a intérêt à conclure un contrat de travail plutôt qu'un contrat d'achat-vente, compte tenu de la flexibilité qu'il autorise. En fonction de l'évolution de l'environnement, l'employeur imposera au salarié les tâches qui maximisent son profit.

Williamson, dans ses différents travaux, insiste également sur le fait que la présence d'une relation d'autorité différencie la relation d'emploi d'une relation d'achat-vente. Mais, alors que Simon met l'accent sur la seule incertitude liée à l'évolution du marché, pour Williamson, l'autorité donne à l'employeur les moyens de faire face à l'opportunisme éventuel des salariés. L'employeur, en mettant en place une structure de contrôle et de supervision du travail, sera à même d'aligner le salaire sur la productivité observée. Il peut également tenter de découvrir le comportement de l'agent en investissant dans des systèmes d'information comme par exemple des instructions, des procédures, des techniques de surveillance. Le contrôle constitue ainsi un instrument important de l'autorité (voir encadré).

Enfin, un dernier auteur mérite d'être souligné, il s'agit de Kenneth Arrow. Dans un ouvrage intitulé *The Limits of Organizations* [1974], Arrow parle de la « valeur de l'autorité ». L'autorité est nécessaire pour réaliser la coordination des activités des membres de l'organisation (la firme) : plus les intérêts divergent, plus l'information diffère, plus la solution de l'autorité apparaît pour cet auteur comme un instrument de coordination efficace.

L'évolution des formes de contrôle dans la firme

Au XIXe siècle, c'est un « contrôle simple » qui prévaut [Edwards, 1986], et il correspond à un capitalisme concurrentiel composé de petites entreprises dans lesquelles l'employeur dirige et supervise directement les conditions de la production. Ce type de contrôle est encore pratiqué aujourd'hui, spécialement dans les petites entreprises. Progressivement, ce type de contrôle a laissé la place à des formes de contrôle bureaucratique (firme fordiste). L'accroissement de la taille des firmes ne permet plus au capitaliste de contrôler directement le travail de ses salariés. Le contrôle exercé sur les individus est ici de type hiérarchique, pyramidal, et il s'accompagne d'une multiplication des échelons intermédiaires, dont la fonction est la surveillance et l'évaluation. Il s'appuie sur une prescription stricte des tâches, une forte surveillance de l'exécution du travail, et une évaluation du résultat du travail. Depuis les années 1980, la volonté des employeurs d'impliquer plus fortement les salariés dans leur travail et les impératifs liés à la flexibilité modifient les formes de contrôle. Le contrôle direct de l'exécution du travail tend à s'affaiblir, ce qui se traduit notamment par l'allégement des lignes hiérarchiques. Les salariés disposant de plus d'autonomie et de compétence dans l'exécution de leur travail, il est moins rationnel pour l'employeur de surveiller le travail. On observe ainsi, lorsque cela est possible, un déplacement des dispositifs de contrôle, non plus pendant l'exécution du travail mais en amont, *via* la fixation d'objectifs (nombre de pièces, chiffre d'affaires, etc.) et en aval par l'intermédiaire du contrôle du résultat (output).

L'autorité conférée à l'employeur, qu'elle s'exprime par des ordres et/ou par des contrôles, permet-elle de faire face au caractère incomplet du contrat de travail ?

Si les commandements et les contrôles constituent un élément important de la coordination dans la relation d'emploi, ils ne résument pas, loin de là, les rapports employeur/employés. Dans la pratique des firmes, le fait de donner des ordres n'est pas permanent. Il est même extrêmement rare de voir des employés attendre à tout moment des ordres pour agir. Dans le meilleur des cas, les ordres portent sur le résultat à atteindre par le salarié, par exemple la réparation d'une machine, et non sur les moyens que le salarié doit utiliser pour atteindre cet objectif [Simon, 1991]. Comme nous le verrons dans le chapitre V, l'action des salariés est en fait contenue dans des règles qualifiées d'allocation, dont la fonction est de fournir aux salariés des repères, des guides pour l'action, sachant que ces repères devront être complétés par l'initiative propre des salariés.

Par ailleurs, le contrôle constitue une réponse partielle à l'incomplétude du contrat de travail, pour trois raisons principales.

Premièrement, il n'est pas toujours possible pour certaines activités. En effet, la seule observation du comportement peut s'avérer insuffisante pour évaluer le niveau d'effort si l'exécution de la tâche s'avère complexe. De plus, le contrôleur-surveillant n'a pas nécessairement l'information à sa disposition pour juger si les actions engagées par un salarié donné sont prises dans l'intérêt du collectif.

C'est ensuite un mécanisme de coordination coûteux pour celui qui l'exerce. Bien loin d'annihiler les comportements opportunistes, il est même susceptible de renforcer au contraire de tels agissements, ce qui justifie des contrôles supplémentaires, entraînant l'organisation dans un cercle vicieux et dans des coûts supplémentaires [Goshal et Moran, 1996].

Enfin, le contrôle ne peut pas supprimer totalement l'initiative d'un individu, il ne peut donc pas réduire totalement l'incertitude. Le salarié est toujours en mesure de biaiser sur l'intensité de son effort et/ou sur le soin qu'il apporte à ses tâches, dès lors qu'il dispose d'une marge de manœuvre et que son travail est difficilement observable et mesurable par un contrôleur [Salais, 1989].

Pour toutes ces raisons, le contrôle du travail est complété par des mécanismes incitatifs, monétaires ou non monétaires. Comme le souligne Arrow, la valeur de l'autorité ne garantit aucunement sa viabilité. Le système de récompenses doit asseoir et compléter l'autorité. Les mécanismes monétaires renvoient aux formes de rémunération. La rémunération doit inciter le salarié à fournir un niveau d'effort maximal, le terme générique effort englobant la totalité des activités susceptibles d'être mises en œuvre et déployées par le salarié : dépense physique, dépense intellectuelle, initiative, diligence, etc. Deux formes polaires de rémunération sont possibles, soit un salaire fixe dit à l'input (contrôle du comportement), indépendant de la performance productive du salarié, soit un salaire variable à l'output, qui fait dépendre le niveau de rémunération de ce que le salarié produit réellement. Le choix du type de contrat résulte notamment de l'arbitrage entre le coût de la mesure du comportement (effort du salarié) et le coût de la mesure du résultat.

Si la rémunération complète les dispositifs issus de l'autorité pour orienter l'action des salariés, elle reste néanmoins insuffisante pour faire face à d'éventuels comportements opportunistes (fournir un effort minimal) des salariés. D'une part, la relation entre la rémunération et le niveau d'effort fourni est plus complexe, de nombreux autres facteurs interviennent (relations au sein du groupe, conditions de travail, possibilité d'obtenir une promotion, etc.). D'autre part, les deux formes de rémunération soulèvent des difficultés : si le salaire fixe est peu incitatif, surtout si l'effort est peu observable, le salaire à la performance, en théorie incitatif, se heurte à la question de la vérifiabilité de l'output [Prendergast, 1999]. Dans les deux cas les problèmes d'opportunisme sont réintroduits. Ces questions sont au cœur de la « *New Economics of Personnel* » (voir encadré).

Bien que l'autorité et l'incitation constituent des dispositifs de coordination essentiels dans la firme, la question du comportement effectif des salariés n'est donc pas pour autant totalement résolue. De plus, peut-on se satisfaire d'une conception de la firme appréhendée seulement comme un espace disciplinaire et de coercition ?

La « *New Economics of Personnel* »

À partir des années 1980, une partie de la théorie des incitations s'est attachée à analyser les relations entre employeurs et employés, et plus précisément les mécanismes incitatifs au travail mis en place au sein des firmes. C'est sous les expressions de « *New Economics of Personnel* » ou de « *Personnel Economics* » qu'Edward Lazear, le représentant majeur de ce courant, regroupe l'ensemble de ces développements [1995]. D'emblée normative, cette théorie se veut un guide pour les managers chargés de gérer les ressources humaines (voir l'ouvrage de Lazear de 1998, *Personnel Economics for Managers*). Si ce type d'approche offre des outils rigoureux pour analyser les contrats salariaux possibles, de nombreuses limites réduisent sa portée explicative. La première, et non des moindres, tient au fait que, dans la réalité, les contrats de rémunération ne correspondent pas aux prédictions de la théorie. En effet, pour ce courant, les contrats fondés sur l'output sont généralement préférables car ils sont considérés comme plus incitatifs que les contrats fondés sur l'input. Or, dans la réalité, les contrats uniquement fondés sur le résultat sont minoritaires, la règle générale étant que les salariés perçoivent une rémunération fixe, indépendante de leurs résultats. Comme nous le verrons dans le chapitre v, même si on observe une tendance à l'individualisation, les salaires sont la plupart du temps fondés sur le poste de travail, et non sur les résultats des individus. La deuxième limite résulte de la non-prise en considération du contexte institutionnel dans lequel s'inscrivent les politiques de rémunération des firmes. Par exemple, les conventions collectives de branche jouent un rôle essentiel dans la détermination des minimas salariaux, et il faut faire intervenir des considérations autres que strictement économiques pour comprendre ces mécanismes. Enfin, les agents économiques ne possèdent pas la rationalité que les modèles de la théorie des incitations leur prêtent. Leurs capacités de calcul sont au contraire limitées, ce qui explique là encore que dans la réalité les formules salariales sont moins complexes que celles obtenues par les modèles.

3. La coopération dans la firme

De nombreuses études empiriques montrent que la plupart des salariés fournissent un niveau d'effort supérieur à ce que leur demande leur supérieur hiérarchique. Une des conclusions majeures de la littérature sociologique sur le travail heurte ainsi de front les présupposés des économistes, et notamment l'hypothèse selon laquelle les salariés se comportent prioritairement comme des « passagers clandestins » et optent pour des comportements opportunistes [Coutrot, 2002]. Il est dès lors pertinent de s'interroger sur la question suivante, posée par Ménard [1994] : peut-on expliquer ce qui amène les agents à coopérer dans le cadre d'une firme ? Deux approches proposent des réponses opposées.

La théorie contractuelle appréhende la logique collective à partir des choix individuels. Dans le modèle principal-agent, le principal doit concevoir un schéma d'incitation (offrir une rétribution) qui va conduire l'agent à adopter un comportement conforme à l'intérêt du principal.

La seconde approche s'efforce de rendre compte de ce qui, dans l'action collective, excède les choix individuels. La coopération renvoie précisément à une situation où des agents fournissent un effort collectif sans savoir si d'éventuels gains individuels compenseront l'effort fourni. C'est le cas, par exemple, s'ils ne peuvent mesurer les retombées individuelles qu'ils peuvent espérer d'une action collective.

Nous mobiliserons ici deux types de travaux économiques qui, en écartant le recours à la contrainte (l'autorité) et aux incitations, permettent d'avancer dans la compréhension de la firme comme lieu d'une — certaine — coopération. Le point commun de ces approches est de considérer que les individus coopéreront si et seulement si (1) ils se sentent traités de manière équitable et (2) si la relation employeur-employé est relativement stable.

Coopération, marchés internes du travail et équité

Définition d'un marché interne du travail

S'intéressant dans *Internal Labour Markets and Manpower Analysis* [1971] à l'organisation interne des grandes firmes américaines, Peter Doeringer et Michaël Piore constatent l'existence dans ces firmes d'un « marché interne du travail ». Ils définissent ce marché comme « une unité administrative, un établissement industriel, à l'intérieur de laquelle la rémunération et l'affectation du travail sont gouvernées par un ensemble de règles et de procédures administratives », et ceci contrairement au marché externe du travail pour lequel les décisions de rémunération, d'allocation et de formation sont directement contrôlées par des variables économiques. Doeringer et Piore associent de ce fait le marché externe du travail au mode de coordination des actions théorisé par la théorie économique standard. Inversement, le marché interne renvoie à une organisation « anti-marché » [Favereau, 1989] : par l'intermédiaire des règles en question, les salariés sont protégés des influences directes des forces concurrentielles en provenance du marché externe. Les mécanismes concurrentiels sont en effet concentrés uniquement sur les « ports d'entrée » dans le marché interne, ports généralement situés dans les niveaux inférieurs des rangs hiérarchiques, comme l'indique le schéma ci-dessous :

UN MARCHÉ INTERNE UNIQUE FERMÉ

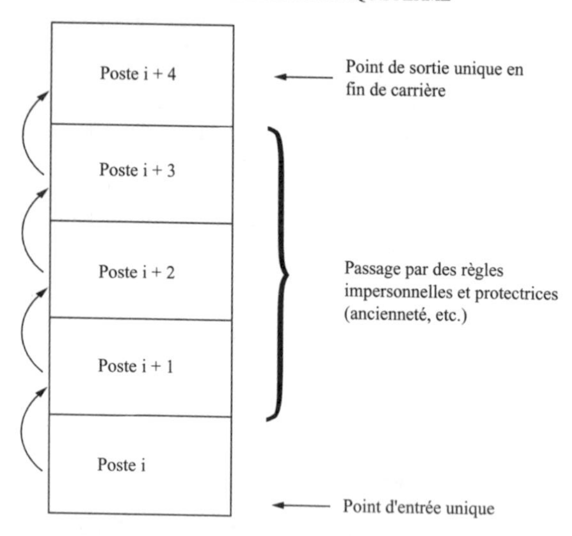

Le marché interne du travail comporte deux types de règles qui résultent de négociations collectives entre le management et les syndicats : des règles d'allocation de la main-d'œuvre (règles d'embauche, de mobilité, de promotion et de licenciement), et des règles salariales, définies non pas par la confrontation d'une offre et d'une demande de travail, mais principalement par des procédures d'évaluation des postes de travail.

Ces règles ont deux propriétés qui vont favoriser la coopération des salariés : elles autorisent la stabilité de l'emploi en instaurant une relation de long terme entre l'employeur et l'employé, et elles sont porteuses d'équité.

Comme l'indique Bernard Gazier [1991], un tel système, protégé et contraignant, isole les travailleurs appartenant à ces firmes de la concurrence exercée par ceux qui restent à l'extérieur, et le point important pour les travailleurs est l'entrée dans un marché interne. Celle-ci effectuée, la progression de chacun est gouvernée par des règles collectives, et l'avenir professionnel est largement prédéterminé. Dès lors, comme ces règles assurent une certaine stabilité de l'emploi et offrent aux salariés des perspectives de carrière, elles constituent selon Olivier Favereau [1994] une puissante incitation à la coopération : les employeurs échangent la protection des salariés par rapport à la concurrence du marché externe du travail contre une participation active des collectifs de travail à l'obtention des gains de productivité.

Les règles du marché interne sont également porteuses d'équité. Doeringer et Piore soulignent que l'origine des marchés internes du travail repose, outre la présence de qualifications spécifiques et des phénomènes d'apprentissage, sur la « coutume », définie comme un ensemble de règles non écrites largement fondées sur la stabilité de l'emploi et les pratiques répétées produites par les collectifs de travail. La coutume participe à la définition de règles à statut éthique, comme par exemple la règle de rémunération du type « *equal pay for equal work* » ou « *a fair day's pay for a fair day's work* ». En ce sens, la coutume est porteuse de valeurs d'équité, équité qui influence les règles d'allocation et de rémunération. Comme nous le verrons dans le chapitre V, la règle de rémunération au poste de travail, dominante durant la période fordiste, garantit à chaque salarié qui occupe le même poste une rémunération identique. Toujours pendant cette période, les règles de promotion étaient impersonnelles, puisque reposant essentiellement sur le critère de l'ancienneté.

L'accent mis sur l'équité ouvre bien la voie à la coopération des salariés ; le sentiment d'être bien traité, à partir de règles objectives et impersonnelles, ne peut qu'éliminer les comportements de passager clandestin. L'équité est également au centre de l'analyse de George Akerlof.

Dans l'article « Labor Contracts as Partial Gift Exchange » [1982], Akerlof, se fondant sur une approche sociologique et cognitive des relations sociales, conteste la pertinence de l'interprétation économique des modèles incitatifs. Il fait ainsi l'hypothèse que le salaire est la résultante de l'édiction de normes d'équité. Akerlof aborde cette question en se fondant sur une étude empirique faite par Georges Homans en 1954 : les caissières d'une entreprise, qui ont un salaire supérieur à celui du marché, dépassent en moyenne, significativement (+ 17 %), la norme collective de rendement initialement fixée par leur employeur. Pourtant, à la période suivante, les salariées ne diminuent pas leur effort pour se caler sur la norme collective réglementaire ; elles ne demandent pas de promotion ou de hausse de salaire. Réciproquement, la firme maintient la norme fixée initialement, sans tenter de l'augmenter.

Pour interpréter ce cas, Akerlof, empruntant à Marcel Mauss sa théorie sur le don, analyse la relation salariale comme un échange de dons partiels réciproques, introduisant de ce fait la notion d'équité. De leur côté, les salariés décident collectivement de fournir un niveau d'effort supérieur à la norme minimale, et Akerlof interprète cette décision comme un don fait par l'ensemble des salariés à leur employeur. En retour de ce don, les salariés espèrent obtenir un « juste salaire » et une certaine clémence de la part de l'employeur pour le respect des règles de travail et une indulgence envers les salariés qui n'atteindraient pas la norme fixée. La règle d'équité consiste donc d'une part à verser un salaire supérieur à celui du marché en échange de l'effort du groupe, et, d'autre part, à ne pas changer le niveau de la norme, même si elle est dépassée.

L'un des apports essentiels du modèle d'Akerlof est de montrer que, contrairement à ce qui est postulé par la théorie des incitations, la relation salariale ne saurait se réduire à une mise en rapport interindividuelle entre la firme et le travailleur ; en faisant interférer l'effort de l'individu et celui de son groupe social d'appartenance, l'échange partiel de dons réciproques souligne la nécessité de prendre en compte la dimension collective du comportement productif des salariés. Deux niveaux d'analyse doivent dès lors être étudiés : les relations entre salariés (principe de solidarité), et le rapport entre le collectif de salariés et l'employeur (règle d'équité de don contre-don). Ces dynamiques collectives dans la formation du salaire se traduisent par l'introduction d'une rationalité de groupe, selon laquelle l'individu obéit à des valeurs communes, comme l'estime mutuelle. Le don contre-don confère par ailleurs au contrat de travail une dimension collective qui est considérée comme première par rapport au caractère individuel du contrat. On notera néanmoins une limite importante de l'analyse d'Akerlof, et qui a trait à la compréhension du passage de l'effort individuel à l'effort collectif. Sur ce point, le modèle est circulaire : l'effort collectif dépend en partie du salaire et de l'effort individuel, or l'effort individuel dépend lui-même de l'effort collectif [Leclercq, 1999]. Malgré cette limite, le modèle d'Akerlof, en introduisant l'équité dans l'analyse de la relation d'emploi, ouvre la voie à la conception de la firme comme espace de coopération.

Hiérarchie et coopération : l'ambivalence de la firme

L'introduction dans l'analyse de la firme des marchés internes du travail et de l'équité nous permet de revenir sur le travail de Leibenstein. Cet auteur montre qu'il est possible d'éviter la situation du type « dilemme du prisonnier », en introduisant une option intermédiaire entre coopération et non-coopération : l'ajustement des comportements des salariés à une norme moyenne. Pour Leibenstein, la répétition de la situation de travail débouche sur une solution « conventionnelle », la convention portant sur un couple effort/salaire, dont chaque terme est supérieur, en niveau comme en utilité, au minimum de la solution non coopérative. La convention a alors toutes les chances de se maintenir car aucun des deux partenaires n'a intérêt à changer.

Pour autant, il ne s'agit pas d'oublier que la firme n'est pas pour nous naturellement ou spontanément un lieu de coopération, ce qui serait un point de vue naïf. La firme est bien d'abord une hiérarchie qui délimite des positions : des individus commandent et d'autres obéissent, *via* un système de délégation de l'autorité en provenance de l'employeur, qui possède le pouvoir de conclure et de mettre fin aux contrats de travail, bien évidemment dans les limites fixées par la loi. Autrement dit, seule l'adoption de certaines règles et valeurs favorise, comme nous l'avons montré, la coopération des salariés. Le chapitre v nous permettra d'illustrer cette problématique.

Conclusion de la première partie : Diversité et complémentarité des théories de la firme

Plusieurs raisons expliquent cette diversité des théories. Elle résulte évidemment de la mobilisation d'hypothèses différentes, par exemple sur la rationalité des individus. De ce point de vue, il est possible d'opposer l'approche contractuelle, plutôt normative (quels sont les meilleurs systèmes d'incitation ?), aux deux autres, qui comportent une nette dimension positive (comment expliquer l'évolution des firmes, les systèmes de contrôle, etc.). Par ailleurs, appréhender la firme comme nœud de contrats ou comme panier de compétences oriente l'analyse sur des voies naturellement différentes. La diversité est enfin le fruit de la complexité même de l'objet firme. Celle-ci revêt en effet un caractère multidimensionnel, à la fois lieu de création de ressources, de passation de contrats, d'établissement de règles collectives, de conflit et de coopération.

Si cette diversité présente l'inconvénient de ne pas offrir une véritable théorie de la firme qui ferait l'objet d'un consensus, elle enrichit notre compréhension de la firme sur de nombreux aspects. Les trois approches de la firme sont de ce fait plus complémentaires qu'opposées (voir tableau ci-dessous). Les questions analysées n'étant pas les mêmes, il paraît en tout cas très difficile de parler d'une éventuelle « supériorité » d'une théorie sur une autre.

Compte tenu de leur complémentarité, les théories de la firme offrent des grilles de lecture pour analyser les transformations empiriques des firmes, comme nous allons le voir dans la deuxième partie.

La complémentarité des théories de la firme

<table>
<tr><th>Nature de la firme</th><th>Existence de la firme</th><th>Questions clés</th><th>Théories</th></tr>
<tr><td>Structure de gouvernance</td><td rowspan="3">Défaillances du marché</td><td>– allocation des ressources entre firme et marché</td><td>TCT</td></tr>
<tr><td>Nœud de contrats</td><td>– mécanismes d'incitation</td><td>TI</td></tr>
<tr><td>Collection d'actifs non humains</td><td>– droits de propriété</td><td>TCI</td></tr>
<tr><td>Ensemble de ressources spécifiques</td><td rowspan="2">Efficacité propre de la firme</td><td>– création de ressources par la firme</td><td>Théorie des ressources</td></tr>
<tr><td>Ensemble de compétences et de routines</td><td>– apprentissage
– stratégie et évolution de la firme</td><td>Théorie évolutionniste</td></tr>
<tr><td>Hiérarchie et lieu de coopération</td><td>Défaillances du marché et efficacité propre de la firme</td><td>– rôle et fonctionnement de l'autorité
– mécanismes de coopération dans la firme</td><td>Théorie de la hiérarchie et des marchés internes</td></tr>
</table>

DEUXIÈME PARTIE
LES TRANSFORMATIONS DE LA FIRME : GOUVERNANCE, RÈGLES D'EMPLOI ET FRONTIÈRES

Durant la période des trente glorieuses, le modèle de firme dominant a été qualifié de « fordiste » [Boyer et Durand, 1993]. Nous avons choisi dans cette partie d'analyser trois transformations qui affectent ce modèle. Elles constituent de plus des points d'application des théories vues dans la première partie.

La gouvernance (ou gouvernement) de la firme (« *corporate governance* ») renvoie à la structure et à l'exercice du pouvoir dans la firme. La libéralisation financière et la montée en puissance des investisseurs institutionnels depuis les années 1980 ont considérablement modifié la manière dont les grandes firmes sont dirigées et contrôlées. Deux questions sont au cœur des débats : la place des actionnaires et la responsabilité sociale de la firme.

La deuxième transformation concerne les règles de la relation d'emploi. Le modèle d'emploi traditionnel des trente glorieuses, fondé sur des règles rigides et institutionnalisées, est déstabilisé. La question centrale est celle de la nature des nouvelles règles et de leur propension à favoriser (ou non) la coopération des salariés

Le troisième thème, la relation client-fournisseur, traite des frontières de la firme. Depuis le milieu des années 1980, une tendance à la désintégration verticale modifie leur tracé, et on constate de nouvelles relations interfirmes. Ce double mouvement aboutit au développement de la « firme-réseau ». L'étude du fonctionnement de cette forme organisationnelle nous permettra d'effectuer un retour théorique sur la question de la frontière entre le marché et la firme.

Nous serons alors en mesure de porter un jugement global sur ces transformations empiriques : assiste-t-on à l'émergence d'un modèle de firme post-fordiste ?

IV / Gouvernance et objectifs de la firme : de nouveaux rapports de propriété et de pouvoir

Les travaux économiques sur le thème de la gouvernance résultent de la constatation empirique de la dissociation entre la propriété des firmes et leur gestion. Notre étude portera précisément sur les sociétés anonymes cotées, qui correspondent aux firmes que nous qualifierons de managériales. Les firmes pour lesquelles les propriétaires sont également les gestionnaires seront appelées entrepreneuriales.

Le thème de la gouvernance des firmes fait généralement l'objet de deux lectures, distinctes mais complémentaires. La première, située à un niveau macroéconomique, renvoie à la manière dont les firmes sont financées et possédées. La seconde, située à un niveau microéconomique, porte sur les objectifs de la firme : quels intérêts doit-elle servir ? À la gouvernance centrée sur la seule relation actionnaire-managers, nous opposerons une autre conception, qualifiée de partenariale, et qui prend acte du fait que la firme n'est pas seulement un nœud de contrats, mais également une collectivité organisée. De ce point de vue, l'étude de la gouvernance s'articule directement aux théories de la firme étudiées dans la première partie.

1. La firme entrepreneuriale et la firme managériale : deux modes de propriété et de pouvoir

La firme entrepreneuriale et ses limites

À la base de la constitution d'une firme on trouve un personnage central, l'entrepreneur. La particularité de ce propriétaire-entrepreneur est qu'il gère lui-même la firme qu'il a fondée. Il cumule trois propriétés qui caractérisent le modèle de firme qualifié d'entrepreneurial : (1) il possède sa firme, précisément il a des droits de propriété sur les actifs non humains utilisés pour la production ; (2) il dispose en principe d'une compétence qui est à l'origine de la création de sa firme ; (3) il est le créancier résiduel au sens d'Alchian et Demsetz : sa rémunération personnelle, qui s'assimile au profit, correspond à ce qui lui reste lorsqu'il a couvert l'ensemble de ses coûts. L'obtention de ce revenu est généralement justifiée, depuis Knight, par le fait que le propriétaire-entrepreneur supporte le risque inhérent à l'activité économique, risque pouvant déboucher sur des bénéfices mais également sur des pertes.

Ce modèle de firme, dont le type même est la PME (petite et moyenne entreprise), a été globalement « idéalisé » par les économistes néoclassiques, puisque *a priori* il s'agit d'un modèle efficient économiquement parlant. Comme son revenu dépend de son efficacité à gérer l'« équipe » (voir [Alchian et Demsetz, 1972]), le propriétaire-entrepreneur est en effet incité à exercer sa fonction de la manière la plus optimale possible. Néanmoins, deux difficultés limitent la pérennité de ce modèle : la contrainte financière d'une part, les difficultés de gestion d'autre part.

Pour faire face à la contrainte financière, une solution s'offre au propriétaire-entrepreneur pour obtenir des capitaux : faire appel à des associés et fonder une société anonyme. Cela signifie pour lui la dilution voire la perte progressive de son pouvoir.

Par ailleurs, lorsque la croissance de la taille de la firme est importante, le propriétaire n'est plus en mesure d'en assurer seul la direction. Il est obligé, progressivement, de recruter des personnes compétentes à qui il va déléguer son pouvoir de direction des personnes ; des managers professionnels appointés deviennent responsables de la gestion de la firme.

Lorsqu'elle se produit, cette double évolution remet en cause les deux attributs essentiels du propriétaire-entrepreneur, ses droits de propriété et son pouvoir de gestion. Elle aboutit à la séparation entre deux parties, les actionnaires et les managers.

La firme managériale : le conflit actionnaires-managers

La divergence d'objectifs entre les actionnaires et les managers

Ce divorce entre les actionnaires et les managers, et notamment la dilution du pouvoir lié à la propriété, a été rendu public pour la première fois par Adolf Berle et Gardiner Means, dans leur ouvrage intitulé *The Modern Corporation and Private Property* [1932]. Cet ouvrage rend compte aux États-Unis de la mutation du capitalisme industriel, plus précisément du passage de la firme entrepreneuriale à la firme dite managériale, qui consacre la séparation entre la propriété de la firme et sa gestion.

Les analyses en termes de relation d'agence mettent clairement en évidence les difficultés engendrées par la séparation entre les actionnaires, appelés également les mandants, et les managers, appelés les mandataires, autrement dit entre la fonction d'assomption du risque et la fonction de gestion des activités de la firme. En effet, comme les managers sont mieux informés que les actionnaires et qu'il est difficile de contrôler leur action, ils sont en mesure de maximiser leur propre fonction d'utilité, au détriment de l'utilité des actionnaires. Concrètement, cette relation bilatérale renferme les conflits d'objectifs suivants [Bancel, 1997] : 1) les managers peuvent s'octroyer des rémunérations trop importantes et/ou des avantages en nature non justifiés (voiture de fonction, logement) ; 2) financement de dépenses somptuaires (sièges sociaux) ; 3) politique d'investissement non conforme au principe de maximisation du profit (politique visant à accroître le chiffre d'affaires). Ces trois décisions aboutissent à réduire la part du profit qui doit revenir aux actionnaires, c'est-à-dire les dividendes ; 4) une attitude vis-à-vis du risque différente. En effet, la totalité du capital humain des managers est investie dans une même firme, celle dont ils ont la direction. En revanche, les actionnaires, principalement dans les grandes firmes, investissent seulement une fraction de leur richesse. Dès lors, les managers vont être tentés de privilégier les investissements dont la rentabilité est certaine, au détriment d'autres qui, bien que présentant un taux de rentabilité supérieur, sont néanmoins plus risqués. Là encore, les actionnaires risquent d'être lésés par cette politique d'investissement ; 5) enfin, un dernier conflit d'objectif provient du fait que les managers peuvent être tentés de conserver dans la firme des sureffectifs, par crainte de conflits sociaux par exemple. Une telle politique est également contraire à l'objectif de maximisation de la valeur de la firme.

Cette séparation actionnaires-managers entraîne, selon Jensen et Meckling [1976], des coûts d'agence, coûts comprenant principalement des coûts de surveillance supportés par les actionnaires, et des coûts résiduels, qui sont en fait des coûts d'opportunité. Ces coûts représentent pour les actionnaires la différence entre la richesse dont ils disposeraient s'ils géraient directement leur firme et celle qu'ils obtiennent en confiant la gestion à des managers.

L'intensité des conflits est bien évidemment fonction du type de firmes (sociétés), un paramètre crucial étant la répartition du capital. Dans les sociétés qui comportent un actionnaire principal dominant (une famille ou une autre firme), le conflit d'objectif entre actionnaires et managers sera moins aigu puisque l'actionnaire principal aura tout intérêt à contrôler et à surveiller les managers, ses coûts d'agence étant contrebalancés par les gains issus de ce même contrôle. En revanche, dans les grandes firmes cotées dont aucun actionnaire ne détient une part importante du capital, les coûts d'agence seront importants. C'est en effet dans ce cas de figure que les managers disposent d'une latitude et d'une autonomie de gestion très fortes, car les actionnaires qui ne disposent que d'une petite fraction du capital n'ont aucune incitation à contrôler le management. Le contrôle est en effet ce que les économistes appellent un bien public : si le contrôle effectué par un actionnaire conduit à améliorer les performances de la firme, tous les actionnaires vont en bénéficier. Or, comme le contrôle est une activité coûteuse, chaque actionnaire, pris isolément, adoptera un comportement de passager clandestin, dans l'espoir que les autres actionnaires effectueront cette activité de contrôle. Bien évidemment, comme tous les actionnaires font le même raisonnement, le résultat est que très peu de contrôles seront effectués.

Le conflit d'intérêt entre les actionnaires et les managers est à l'origine d'une partie des débats sur la gouvernance de la firme.

Il n'existe pas de définition unique de la gouvernance de la firme. La définition proposée par Andrei Shleifer et Robert Vishny [1997], et largement reprise dans le monde académique, nous servira de point de départ. Pour ces deux auteurs, la *corporate governance* porte sur les moyens par lesquels les fournisseurs de capitaux de la firme peuvent s'assurer de la rentabilité de leurs investissements. À s'en tenir à cette définition, fort restrictive, le principal débat sur la gouvernance renvoie donc aux dispositifs qui vont contraindre les managers à agir dans l'intérêt des actionnaires.

Les analyses en termes de relation d'agence montrent qu'un certain nombre de dispositifs permettent en principe de résoudre les conflits d'objectifs que nous avons mis en évidence : il s'agit de l'État, de trois mécanismes de nature externe, le marché des biens et des services, le marché financier et le marché du travail des dirigeants, et des mécanismes de nature interne, mis en œuvre par les actionnaires eux-mêmes [Charlety, 1994].

1) L'État. Il intervient par les réglementations qu'il impose en matière de production de documents comptables et financiers, et en mettant en place des organismes de surveillance des marchés financiers, comme la Commission des opérations de Bourse en France (COB), organismes qui sont chargés, entre autres, de veiller à la bonne information des actionnaires des sociétés cotées.

2) Le marché des biens et des services. Ce deuxième mécanisme renvoie au fonctionnement « spontané » des marchés sur lesquels la firme opère. Sur un marché concurrentiel, une firme mal gérée doit normalement disparaître, et la seule crainte de cette disparition constitue une incitation pour les managers à bien gérer la firme.

3) Le marché financier. Il intervient dans la gestion des managers par l'intermédiaire du mécanisme des offres publiques d'achat (OPA). Cette technique permet à une société de prendre le contrôle d'une société cotée en proposant à son actionnariat dispersé l'acquisition simultanée des titres en circulation. La menace permanente d'une OPA constitue pour le management une incitation à la bonne gestion. En effet, en cas de changement de propriétaire de la société, la situation de dirigeant risque d'être remise en cause. L'économie de marché dispose ici d'un véritable « pouvoir de police » vis-à-vis des dirigeants des sociétés cotées.

4) Le marché du travail des dirigeants. Les dirigeants sont évalués par le marché en fonction des performances qu'ils obtiennent, performances mesurables par la valeur de la firme. Cette évaluation constitue une incitation à ne pas agir de manière opportuniste et à satisfaire les objectifs fixés par les actionnaires. En effet, de cette évaluation dépendent leur maintien à la direction de la firme et leur réputation. Or, cette réputation conditionne les possibilités pour les managers soit de rejoindre une firme qui leur propose de meilleures conditions, soit, en cas de difficultés financières de leur firme, de retrouver une autre place. Le marché du travail exerce donc également une fonction disciplinaire sur les dirigeants, pour qu'ils alignent leurs comportements sur les objectifs des propriétaires.

5) Le conseil d'administration (CA). Lors de l'assemblée générale annuelle, les actionnaires élisent les administrateurs de la société pour qu'ils agissent dans leur intérêt, et le conseil, à son tour, contrôle les dirigeants. Le conseil est composé d'administrateurs internes et d'administrateurs externes qui, comme personnes physiques, peuvent représenter des personnes morales, c'est-à-dire d'autres sociétés. Le CA joue donc un rôle central par rapport au conflit actionnaires-managers, et ses attributions principales, en France, sont les suivantes : il est chargé de nommer et de révoquer le président du conseil et les directeurs généraux, il décide des formes et du montant des rémunérations, il choisit le lieu du siège social, il autorise les avals et garanties, il convoque les assemblées générales et fixe l'ordre du jour.

6) La rémunération des dirigeants. Pour réduire les conflits d'objectifs entre actionnaires et managers, une solution consiste à indexer la rémunération des dirigeants sur leurs performances.

7) La surveillance exercée par les actionnaires. L'efficacité du CA pour contrôler les dirigeants n'est en aucun cas garantie. De ce fait, on peut supposer que si les performances du CA sont mauvaises, les actionnaires peuvent décider de remplacer les dirigeants. Il est cependant évident que les petits actionnaires ont très peu d'intérêt à se lancer dans ce type d'opération longue et coûteuse. En effet, on retrouve le problème, évoqué plus haut, du passager clandestin, dans la mesure où l'« actionnaire dissident » supportera l'ensemble des coûts, alors que l'ensemble des actionnaires disposera d'une hausse du cours de l'action grâce à une meilleure gestion de la firme. Dans ces conditions, on peut penser qu'un des

moyens pour mieux contrôler le management se trouve dans la présence d'un « gros » actionnaire, appelé également actionnaire de référence. Si cet actionnaire a effectivement tout intérêt à contrôler fortement les dirigeants, ce mode de contrôle n'élimine pas totalement les problèmes d'agence, pour deux raisons. Le contrôle ne sera pas total puisque cet actionnaire ne recevra pas 100 % des gains liés aux bénéfices issus du contrôle, ces gains étant répartis entre l'ensemble des actionnaires. Par ailleurs, dans la mesure où cet actionnaire supporte un risque lié à la non-diversification de son portefeuille, il pourra décider d'orienter la gestion de la firme vers des projets peu risqués, ce qui engendrera alors des conflits avec les actionnaires minoritaires, qui eux souhaiteront éventuellement des projets plus risqués.

2. Diversité et évolution des modèles de gouvernance des firmes

Approche macroéconomique : deux modèles de gouvernance

Les économistes distinguent généralement deux modèles de gouvernance, le système « *outsider* » ou « *market based* », présent aux États-Unis et au Royaume-Uni, et le système « *insider* » ou « *blockholder* », que l'on trouve en Europe et au Japon [Rebérioux, 2002].

La distinction entre ces deux modèles repose tout d'abord sur l'importance comparée des marchés boursiers. Les pays anglo-saxons disposent de marchés financiers largement plus développés que les pays européens. En 2001, le rapport de la capitalisation boursière (valeur totale des actions domestiques) au PNB donnait les résultats suivants : États-Unis : 1,52 ; Royaume-Uni : 1,66 ; France : 1,03 ; Allemagne : 0,61. Le nombre de sociétés cotées explique en partie cette différence ; États-Unis : 8 000 (Nasdaq + NYSE) ; Royaume-Uni : 2 400 ; France : 966 ; Allemagne : 989 [Rebérioux, 2002].

La distribution de la propriété constitue un second critère de distinction, tant d'un point de vue quantitatif (degré de concentration) que qualitatif (identité des actionnaires). La proportion de firmes dites à capital dispersé (sans actionnaire dépassant le seuil de 10 % ou 20 % des droits de vote) représente la situation de référence aux États-Unis et au Royaume-Uni, contrairement à la France et à l'Allemagne. Alors que la taille médiane des plus gros blocs d'actions est inférieure à 5 % des droits de vote aux États-Unis, et aux alentours de 10 % en Grande-Bretagne, elle est de 52 % en Allemagne et de 20 % en France. Quant à la distribution qualitative, elle est également bien distincte : alors que les investisseurs institutionnels, et notamment les fonds de pension, sont les principaux détenteurs de titres aux États-Unis (au côté des ménages) et au Royaume-Uni (au côté des compagnies d'assurances), ce sont les entreprises non financières qui s'imposent en France et en Allemagne (voir tableau).

Répartition de la propriété par type d'investisseurs
(en % du capital des sociétés)

	États-Unis	*Royaume-Uni*	*France*	*Allemagne*
Banques	6	1	7	10
Compagnies d'assurance et fonds de pension	28	50	9	12
Fonds mutuels et autres institutions financières	13	17	14	8
Entreprises non financières		1	19	42
Ménages	49	21	23	15
Non-résidents	5	9	25	9

Source : [Rebérioux, 2002, p. 18].

Au total, le modèle anglo-saxon se caractérise par une dispersion importante de la propriété, ainsi que par des marchés boursiers liquides, dominés par les fonds d'investissement. Inversement, le modèle continental européen a pour propriétés essentielles des marchés financiers relativement étroits, la présence de larges blocs de contrôle et des participations croisées entre firmes.

Si ces deux modèles représentaient bien la situation jusqu'aux années 1990, depuis lors, les mutations financières et l'accroissement du poids des investisseurs institutionnels ont réduit la distance qui les séparait. Le modèle français de gouvernance connaît ainsi depuis le milieu des années 1990 de profondes modifications, et ce d'autant plus que la France disposait d'un modèle particulièrement original.

L'évolution du modèle français de gouvernance : le modèle du marché financier ?

Jusqu'aux années 1980, le modèle français a été caractérisé par les deux éléments suivants [Le Joly et Moingeon, 2001]. La structure du capital des firmes reposait sur un système de participations croisées, au sein duquel des sociétés comme Suez et Paribas dans les années 1960, la Caisse des dépôts et le Crédit lyonnais dans les années 1980, puis, après les privatisations, la Société générale, Axa-UAP ont joué un rôle essentiel. Cette structure particulière (en 1993, les entreprises non financières détenaient près de 59 % des actions) a favorisé la multiplication des mandats réciproques. Par ailleurs, le système français a largement reposé sur la présence massive de l'État, suite aux différents mouvements de nationalisation. Après 1982, le secteur public représentait, dans le secteur industriel, 31 % du chiffre d'affaires, 23 % des effectifs, et 50 % des investissements. Il contrôlait également la quasi-totalité du secteur bancaire. On a ainsi pu parler d'un « capitalisme français d'État », hybride entre le modèle anglo-saxon d'économie de marché et le modèle allemand d'économie d'endettement.

L'important mouvement de privatisation à partir de 1986, associé à la déréglementation financière et au choix par les firmes de financer leurs investissements par les actions plutôt que par les emprunts bancaires (les émissions d'actions sont passées de 52 milliards de francs en 1980 à 746 en 2000 alors que dans le même temps l'endettement auprès des banques passait de 119 à 393), a entraîné une mutation fondamentale du capitalisme français. La part des non-résidents dans le capital des sociétés françaises cotées est passée de 10 % environ en 1985 à 23,5 % en 1993, pour atteindre 36,9 % en 2000 [Jeffers et Plihon, 2002]. La part des investisseurs étrangers, notamment anglo-saxons, dans le capital des grandes sociétés est maintenant considérable, comme l'indique le tableau suivant.

Les investisseurs institutionnels sont donc devenus, comme dans le modèle *outsider*, les principaux acteurs du nouveau modèle de gouvernance [Morin et Rigamonti, 2002]. Pour ces deux auteurs, cette évolution fait basculer le modèle de détention du capital vers

PART DES INVESTISSEURS ÉTRANGERS
DANS LE CAPITAL DE GRANDES SOCIÉTÉS FRANÇAISES
(EN % DU CAPITAL, 1999)

Banques Assurances	*Inves-tisseurs étrangers*	*dont inves-tisseurs anglo-saxons*	*Industrie*	*Inves-tisseurs étrangers*	*dont inves-tisseurs anglo-saxons*
Société générale	50,1	29	*Vivendi*	51,5	27
AXA	44	28	*Alcatel*	49	30
AGF	25	16,5	*Accor*	48	30

Source : [Jeffers et Plihon, 2001].

un modèle qu'ils qualifient de « marché financier ». Plus précisément, deux types de structures actionnariales émergent, chacune conduisant à une configuration particulière du capitalisme. Le premier, qui renvoie à un capitalisme patrimonial traditionnel, concerne les grandes firmes pourvues d'un actionnariat stable et qui disposent au minimum d'une très forte minorité. On trouve dans cette catégorie les groupes familiaux tels Michelin et Peugeot par exemple. Le second, nommé « capitalisme de marché financier », se traduit par l'absence d'une influence directe des actionnaires. Des firmes comme Air Liquide et Lafarge sont représentatives de ce modèle, avec un actionnariat très éclaté.

Néanmoins, dans les deux cas, l'influence des investisseurs institutionnels se traduit par des exigences en matière de rendement des placements, la mobilité des capitaux permettant aux actionnaires, institutionnels ou non, de « voter » avec leurs pieds (passer d'une société à une autre). Le concept de « *shareholder value* » (valeur actionnariale) s'est ainsi imposé, l'objectif des dirigeants devant être la maximisation de la valeur actionnariale. Au-delà, l'impact du renforcement du pouvoir des actionnaires est particulièrement sensible dans trois domaines : la communication financière, le développement de nouveaux critères de gestion, et la rémunération des dirigeants (voir encadré).

Les nouvelles règles de la gouvernance

Transparence et communication financière

L'exigence de transparence porte sur l'utilisation de normes comptables internationales et sur la communication et la diffusion d'informations financières aux investisseurs et aux analystes par les firmes [Mottis et Ponssard, 2002]. L'ensemble de ces informations doit permettre aux acteurs du marché de se forger une opinion sur la « valeur » de la firme, pour qu'ils puissent optimiser leurs placements financiers. Le rythme de diffusion des informations s'est notoirement accéléré au cours des dernières années, ainsi que la diversité de ces informations : projection de résultats détaillés trimestre par trimestre, comparaisons dans le temps, mode de rémunération des dirigeants, investissements, stratégies de développement, etc. Les agences de notation, comme Moody's et Standard and Poors, sont devenues des acteurs essentiels du fonctionnement de la gouvernance.

De nouveaux critères de gestion

Ce principe de transparence s'accompagne de la mise en œuvre de nouveaux indicateurs d'efficience du management, le plus connu étant l'EVA, pour « *economic value added* ». L'EVA est un indicateur de création de valeur qui mesure ce qu'une firme a réussi à dégager en une année comme richesse, c'est-à-dire la différence entre son résultat opérationnel après impôts et le coût estimé du capital employé pour son activité. Une EVA positive signifie que les dirigeants ont réussi à créer de la valeur au profit des actionnaires pendant un exercice donné. Le critère de l'EVA aboutit à mettre l'accent sur la performance financière de la firme : une bonne gestion se mesure en termes de richesse boursière créée. Cette nouvelle méthodologie a pour objectif de faire adopter aux managers un comportement identique à celui que recherchent les actionnaires.

Les règles de rémunération des dirigeants

Deux modalités de rémunération sont présentes dans la plupart des grandes firmes : tout d'abord le paiement de primes, qualifiées de bonus, lorsque le dirigeant a réussi à atteindre un certain objectif de court terme (par exemple un chiffre d'affaires), ensuite le versement d'actions et/ou de stocks-options. Cette deuxième formule vise à inciter le manager à développer la firme dans une optique de moyen terme, afin d'accroître sa valeur sur le marché boursier.

3. Les objectifs de la firme : quels intérêts la firme doit-elle servir ?

Une idée communément admise est que l'objectif de la firme est la maximisation du profit. Si, dans le cas d'une firme entrepreneuriale, cet argument semble fondé, il n'en va pas de même pour les firmes managériales organisées sous forme sociétaire.

Les fondements incertains de la primauté des actionnaires : à qui appartient la firme ?

Poser cette question peut paraître étrange car la réponse semble aller de soi : la firme est *a priori* la propriété des actionnaires. De cette affirmation découle la problématique actuelle de la gouvernance (« *shareholder theory* ») : comme la firme est la propriété des actionnaires, et les dirigeants leurs mandants, les dirigeants doivent donc gérer la firme dans le seul intérêt de leurs mandataires [Robé, 1999].

Néanmoins, une analyse plus approfondie montre que la propriété de la firme n'est pas une question aussi simple, surtout dans le cas des grandes firmes organisées sous forme de sociétés anonymes. En effet, dire que la firme est la propriété des actionnaires n'est pas totalement exact puisque l'entreprise (la firme) n'existe pas en tant que telle en droit. Pour le droit positif, l'entreprise (la firme) ne peut que se décomposer en un circuit de contrats non reconnu officiellement en tant que tel. Assimiler, comme le font les analyses en termes de nœud de contrats, la firme à la société, qui ne concerne que les actionnaires et les mandataires sociaux, exclut de la réflexion sur la gouvernance une composante essentielle, les salariés de la firme.

Comment dès lors appréhender la question de la propriété et du contrôle ?

En fait, trois groupes d'individus sont susceptibles de « revendiquer » des prérogatives en matière de propriété et de contrôle.

Il y a donc bien sûr tout d'abord les actionnaires, dont une partie de la littérature en fait les propriétaires « évidents ». Or, à y regarder de plus près, les actionnaires ne possèdent pas « grand-chose ». Ils possèdent en fait... les actions de l'entreprise, plus précisément de la société (personne morale), et cette possession leur confère essentiellement deux prérogatives : (1) lors de l'assemblée générale, décider des grandes orientations, désigner les mandataires sociaux (les dirigeants) et contrôler leur gestion ; (2) percevoir des dividendes, en rémunération de l'apport qu'ils font de leurs capitaux à la société, le contrat de société servant de support juridique à l'entreprise (avec d'autres contrats). Autrement dit, les actionnaires n'embauchent pas le « *top management* » et ne fixent pas leur rémunération, ils ne décident pas des prix des produits. Certes, en désignant les mandataires, qui à leur tour embauchent les managers et qui ratifient les principales décisions de ces mêmes managers, les actionnaires sont en mesure d'affecter les principales décisions. Ils peuvent même décider de remplacer les dirigeants s'ils estiment que ceux-ci ne défendent pas leurs intérêts. Pour autant, ils n'ont pas de droits directs sur de multiples décisions importantes de la firme.

Les droits de propriété des actionnaires sont donc très différents de ceux possédés par un entrepreneur individuel qui réunit à la fois la propriété des actifs et le contrôle/la gestion sur ces mêmes actifs [Milgrom et Roberts, 1992]. C'est pour cette raison que les théories contractuelles de la firme sont plus des théories de la firme entrepreneuriale que de la grande firme cotée en Bourse sous forme de société anonyme.

Le deuxième groupe est celui des dirigeants (aux États-Unis le fameux « *board of directors* »). Ceux-ci possèdent de nombreuses prérogatives : ils ont le pouvoir de décider du montant des dividendes, d'embaucher et de licencier le « *top management* », de décider de la stratégie de la firme en termes d'acquisition, de fusion, de cession. Néanmoins, si les dirigeants ont de nombreux droits, ils n'ont pas celui de percevoir les « revenus résiduels », ils ne sont pas les créanciers résiduels au sens d'Alchian et Demsetz. Si la société est liquidée, les revenus résiduels sont distribués aux actionnaires.

Le dernier groupe est composé des managers et des salariés non managers. Or, ce groupe peut légitimement revendiquer du pouvoir sur la firme dans la mesure où, sans leur participation active, les associés qui composent la société ne peuvent produire et vendre. Seule la « firme » produit et vend. Ce sont bien les managers qui gèrent la firme au quotidien et qui de plus peuvent largement influencer les décisions prises par les dirigeants. Leur pouvoir est donc important. Mais les managers dépendent à leur tour des salariés.

En ce qui concerne ces derniers, un argument plaide pour leur participation aux décisions de la firme. Les salariés développent des actifs humains qui deviennent spécifiques à leur firme. Comme ces actifs sont par définition non redéployables, si la firme ferme ou se délocalise, la totalité de ces actifs est perdue, alors que les actionnaires, eux, sont en mesure de diversifier leurs actifs financiers. Donner un droit de contrôle aux salariés sur des décisions de leur firme permettrait de tenir compte de ces investissements. C'est par exemple le cas en Allemagne où la loi reconnaît aux salariés leur participation dans les conseils (système de la cogestion).

Si la firme ne saurait être gérée dans le seul intérêt des actionnaires, il convient de se demander si une gouvernance qui concilie leurs intérêts avec ceux des salariés est possible.

Une approche « partenariale » de la gouvernance

Il faut alors se tourner vers une approche « partenariale » ou « coopérative » de la firme. Comme l'indique Antoine Rebérioux [2002], la divergence des intérêts entre et parmi les différents constituants (actionnaires, salariés, managers) ne doit pas empêcher l'édification d'un espace commun d'interactions où se rejoignent ces différents intérêts.

Dans la littérature économique, le modèle de Masahiko Aoki [1984] constitue un modèle de référence de cette conception de la firme. Il présente deux propriétés qui respectent la nature partenariale de la firme : d'une part, les différentes parties, limitées aux actionnaires, managers et salariés, sont dans une position « symétrique », ce qui reflète l'orientation coopérative donnée à la firme ; d'autre part, les managers ont un rôle central. Aoki s'attache aux mécanismes de maximisation et de partage de ce qu'il nomme la « quasi-rente organisationnelle », qui en réalité constitue le surplus issu de la coopération des différentes parties. L'accumulation de ressources financières et humaines spécifiques, à l'origine de la quasi-rente, n'est possible que s'il y a un engagement réciproque des détenteurs des deux catégories de ressources. Cet engagement suppose que les actionnaires soient assurés d'un taux de rendement satisfaisant de leur investissement, et que les salariés bénéficient d'un certain niveau de revenu et de possibilités de carrière. La position du management est dans ces conditions centrale ; en utilisant un cadre formalisé de la théorie des jeux et intitulé « jeu de la négociation », Aoki montre qu'une maximisation et un partage de la quasi-rente sont possibles car il est dans l'intérêt mutuel des parties d'éviter les situations de conflit, et donc de coopérer.

On notera ici la proximité de l'analyse d'Aoki avec celle que nous avons développée dans le chapitre III. Certes, toute firme est une hiérarchie fondée sur une répartition asymétrique des droits de propriété, mais en même temps c'est également un lieu de coopération tourné vers un objectif commun, la pérennité de la firme.

Une conception élargie de la responsabilité de la firme : la « stakeholder theory »

À l'opposé de la « *shareholder theory* », qui place la relation actionnaires-managers au centre de la gouvernance, une autre théorie, la « *stakeholder theory* » (théorie des parties prenantes), a émergé au cours des années 1990. Son objectif est de proposer une problématique différente quant à la définition de la « bonne » gouvernance des firmes. Située dans la continuité de notre développement précédent sur la nature coopérative de la firme, cette théorie élargit la problématique de la gouvernance en incluant tous les individus ou groupes d'individus qui possèdent des droits ou des « créances » (« *stakes* ») sur la firme et qui sont affectés par ses décisions. Outre les actionnaires, les managers et les salariés, ces parties prenantes sont les clients, les fournisseurs, les banques, les assurances, les syndicats, les administrations, et finalement la société dans son ensemble. La firme doit selon cette théorie s'efforcer de concilier les intérêts de tous ces groupes, au-delà du seul intérêt financier des actionnaires.

La théorie des parties prenantes est importante car, contrairement à la représentation de la firme comme un ensemble de relations contractuelles interindividuelles, elle souligne la responsabilité de la firme comme entité collective, entité productrice d'externalités aussi bien positives — création d'emplois — que négatives — pollution, encombrement lié au transport de marchandises. Elle considère que la firme ne saurait s'exonérer de certains comportements : « exploiter » les fournisseurs et sous-traitants, ne pas informer les consommateurs sur la qualité des produits, dégrader l'environnement, pénaliser certaines collectivités territoriales en licenciant et/ou en délocalisant des unités de production, etc.

On constate d'ailleurs que, concrètement, certaines firmes, allant au-delà des règles juridiques encadrant la relation employeur/employé, se sont engagées, par l'intermédiaire de « codes de bonne conduite », à tenir compte de l'ensemble des parties prenantes. Par le biais de ces codes, la firme s'engage à respecter un certain nombre de principes et de valeurs, au rang desquels l'éthique tient une place importante. Il s'agit pour ces firmes de démontrer qu'elles concilient l'impératif de compétitivité avec un comportement respectueux des intérêts de l'ensemble des parties qui concourent à la réalisation de leur production. Ces codes concernent les relations de la firme avec ses salariés, ses fournisseurs, mais aussi ses consommateurs, et la société tout entière, par exemple lorsque la firme s'engage à respecter l'environnement.

Au-delà de la seule rationalité économique, c'est ainsi un principe de responsabilité sociale de la firme qui s'introduit, et on conçoit alors que la seule théorie de l'actionnaire ne rend pas compte de cette nouvelle tendance des firmes à concilier économie et éthique. Au total, la « *stakeholder theory* » traduit la reconnaissance de la pluralité des objectifs de la firme, bien au-delà de la seule maximisation de la richesse des actionnaires.

4. Les enjeux de la gouvernance : performances économiques et convergence des systèmes

Deux enjeux majeurs découlent de la problématique de la gouvernance des firmes.

Le premier est relatif à la question de l'efficience des systèmes de gouvernance. Sur le plan des performances économiques, la seule observation des faits permet difficilement de conclure à la supériorité du modèle *shareholder* ou *stakeholder*. Au point de vue théorique, et dans la lignée du modèle d'Aoki, des travaux ont tenté de montrer qu'un management de type *stakeholder* est supérieur car il favorise l'investissement en capital humain spécifique, qui devient l'actif stratégique pour les firmes [Blair, 1995]. La prise en compte des intérêts des salariés limiterait les comportements opportunistes et favoriserait ce type d'investissement. Indépendamment du critère des performances économiques, certains auteurs mettent en avant l'argument éthique : le modèle *stakeholder* devrait s'imposer car, comme nous l'avons vu, il tente de tenir compte des intérêts de l'ensemble des parties prenantes et non des seuls actionnaires.

Le deuxième enjeu est celui d'un éventuel processus de convergence du système français de gouvernance en direction du modèle anglo-saxon. Répondre à cette interrogation suppose en fait de distinguer trois niveaux différents mais complémentaires de la problématique de la gouvernance et des objectifs de la firme [Rubinstein, 2002].

En ce qui concerne l'approche macroéconomique de la gouvernance, nous avons pu noter les mutations fondamentales qu'ont subies les grandes firmes françaises de 1997 à 2002, avec la pénétration importante des investisseurs institutionnels dans le capital, et notamment les fonds de pension. Pour autant, le système français est encore très éloigné du système *outsider* anglo-saxon, principalement du fait d'une bien moindre dispersion du capital des firmes.

En revanche, si le processus de la convergence signifie l'adoption par les firmes françaises cotées de règles de fonctionnement en conformité avec le discours normatif sur la « bonne gouvernance », et ce afin d'obtenir la caution des marchés financiers, il semble effectivement que le processus ait lieu, en particulier pour les sociétés dites du CAC 40 : 1) les administrateurs indépendants, qui n'étaient que l'exception il y a encore dix ans, représentent aujourd'hui 26 % des administrateurs ; 2) les comités d'audit et les comités de sélection et de rémunération sont pratiqués par 95 % des sociétés, contre aucune en 1995 ; 3) les conseils d'administration participent activement aux décisions stratégiques, ils se réunissent six à sept fois par an, contre deux fois il y a dix ans ; 4) toutes les sociétés communiquent aujourd'hui sur le thème de la gouvernance dans leur rapport annuel.

Enfin, reste l'approche microéconomique de la gouvernance. La plupart des firmes ont adopté ou sont en train d'adopter les règles de gestion du modèle *shareholder*. Ceci dit, on ne saurait assimiler la représentation de la firme en France avec la représentation de la firme anglo-saxonne, et notamment américaine. Il faut en effet tenir compte du phénomène de « *path-dependency* ». Si les États-Unis et le Royaume-Uni sont naturellement favorables à la souveraineté actionnariale, les pays européens, dont la France, tendraient à voir dans la firme une « institution sociale », où l'intérêt des parties autres que les actionnaires doit être pris en compte, se rapprochant en cela de la conception *stakeholder* de la firme.

V / La relation d'emploi : de la norme fordiste à de nouvelles règles

Nous avons vu dans le chapitre III que, si une forme de coopération des salariés est présente dans la firme, c'est parce que certaines règles, issues de la présence de marchés internes, assurent aux salariés (1) une certaine stabilité de l'emploi, (2) et une certaine forme d'équité. Le modèle d'emploi fordiste français, caractéristique des trente glorieuses, présentait ces deux propriétés. Les grandes firmes françaises avaient en effet mis en place, à l'instar des firmes américaines, des marchés internes du travail [Reynaud, 1994]. Qu'en est-il des règles qui se mettent progressivement en place depuis les années 1990 ? Comment caractériser ce « nouveau » modèle ? Pour répondre à ces interrogations, nous étudierons les deux règles qui sont à la base des marchés internes au sens de Doeringer et Piore, c'est-à-dire les règles d'allocation et de rémunération de la main-d'œuvre.

1. La déstabilisation progressive de la relation d'emploi fordiste

Le modèle d'emploi des trente glorieuses : poste de travail et marchés internes

Les règles d'allocation de la main-d'œuvre : la logique de poste

Tout d'abord, c'est le poste de travail, et non l'individu, qui constitue l'objet de la coordination entre l'employeur et l'employé.

C'est pour cette raison que le modèle d'organisation du travail de cette période a été qualifié de « logique de poste ». Fortement influencées par le management scientifique et les travaux sur la bureaucratie, les pratiques de gestion qui placent le poste au centre de l'organisation considèrent qu'il est plus efficient de partir d'un découpage de la production en postes, et de pourvoir ces postes avec des individus possédant certaines caractéristiques, intellectuelles et/ou physiques. Considéré comme l'unité de base du système organisationnel, le poste correspond à un besoin précis dans une organisation du travail conçue à partir de la définition des tâches les plus élémentaires, et il comporte trois caractéristiques principales. Premièrement, la notion de poste implique la prescription des tâches, qui sous-tend l'idée du « *one best way* ». La deuxième caractéristique a trait à l'aspect procédural du poste de travail ; ce dernier se ramène à un certain nombre d'opérations à effectuer dans un ordre donné. Enfin, fonder l'activité de travail sur le poste suppose une stabilité des processus de production, puisque bien évidemment en régime instable les prescriptions vont perdre de leur efficacité. Dans ces conditions, retenir le poste de travail comme objet principal de la coordination durant la période de croissance forte et régulière était alors parfaitement rationnel car adapté au contexte économique, c'est-à-dire une stabilité temporelle des processus de production et des marchés. En effet, une telle stabilité dispense la firme de revoir sa structure organisationnelle et de remodeler en permanence la distribution des postes, tâche difficile et coûteuse.

Ensuite, les postes sont évalués, hiérarchisés, et cette hiérarchie fonde les systèmes de classification des emplois, définis au niveau des branches ou des firmes elles-mêmes. Nous avons vu dans le chapitre III que le contrat de travail se caractérise par le fait que la liste des tâches n'est pas connue *ex ante*. Voilà pourquoi la négociation puis la formalisation collective des règles de classification, en hiérarchisant et en décrivant les emplois, permettent au salarié de savoir quelles activités il doit exécuter et évitent au supérieur hiérarchique de rappeler continuellement à ce dernier ce qu'il doit faire. Les dispositifs de classification des emplois fournissent ainsi des règles impersonnelles du type « si le travailleur est affecté à tel emploi, alors il devra réaliser telles tâches ». Ces règles procurent deux avantages supplémentaires. En réduisant l'incertitude du contenu du travail et en donnant des repères, elles évitent qu'il y ait en permanence des discussions et des litiges sur le travail du salarié :

employeurs et salariés disposent d'un repère commun pour juger du résultat de l'action de ces derniers. De plus, le processus de négociation collective aboutit à légitimer ces règles, qui sont alors acceptées par les salariés.

Concrètement, en France, l'établissement des listes de dénomination de postes a débouché en 1945 sur la construction des grilles de classification de type Parodi, puis, à partir de 1975, sont apparues les classifications en critères classants (voir encadré).

Enfin, les règles de mobilité constituent un troisième type de règles. D'une manière générale, le critère de l'ancienneté, dans ce modèle, constitue un fondement essentiel de la mobilité verticale. On considère en effet que les salariés, au bout d'un certain temps passé sur un poste, ont la capacité d'évoluer à un niveau supérieur de la hiérarchie des emplois. En ce sens, les règles de mobilité sont étroitement liées à la nature des emplois existants et à leur organisation dans les grilles de classification.

L'évolution des systèmes de classification

Historiquement, on distingue trois grands types de systèmes de classification :

— les classifications de type Parodi sont apparues dans la plupart des branches industrielles classiques après 1945. Elles consistent dans l'établissement d'une simple liste de dénominations de postes, sans description précise, à laquelle correspondent des coefficients salariaux ; exemple de la branche de la métallurgie : manœuvre homme, ajusteur, OS homme ;

— les conventions « Parodi amélioré » : les situations de travail sont ici mieux décrites ; en particulier, il est fait mention des tâches à exécuter et des machines ou outils utilisés dans le cadre du poste ; exemple de la branche pharmacie : personnel de nettoyage exécutant de gros travaux tels que lessivage, lavage, frottage, cirage ;

— les grilles à critères classants : apparues dans la métallurgie en 1975, et très courantes encore aujourd'hui, elles définissent des critères communs aux différents emplois, ces derniers se différenciant suivant l'importance accordée à ces critères dans chaque emploi. Les critères le plus souvent utilisés sont le niveau de responsabilité, le degré d'autonomie, le niveau de connaissances. Ces grilles témoignent du passage, au cours des années 1990, dans les grandes firmes, de la simple logique de poste, conçue dans une organisation taylorienne du travail, à une logique plus orientée vers la compétence (voir *infra*).

À la base de la fixation des salaires, on trouve un étalon [Reynaud, 1992]. Dans le modèle traditionnel, c'est le poste de travail, affecté d'un coefficient hiérarchique, qui constitue cet étalon. Concrètement, l'évaluation des postes, formalisée par le système de classification, fonde la hiérarchie des rémunérations et, globalement, les salariés qui exercent un poste similaire perçoivent la même rémunération, d'où l'expression « à travail égal, salaire égal ». Autrement dit, plus le poste est complexe, complexité révélée par l'évaluation, plus la rémunération est élevée. Le marché interne du travail achève ainsi une transformation fondamentale en introduisant un système dans lequel les taux de salaire sont principalement attachés aux emplois et non aux individus. Historiquement, on constate effectivement que les promoteurs des premiers systèmes d'évaluation, comme Edward Hay aux États-Unis, avaient comme objectif d'éviter les litiges sur les salaires, fréquents à l'époque, et de les stabiliser, en évitant leur perpétuelle renégociation [Figart, 2000]. Enfin, la rémunération est éventuellement complétée par des primes de rendement et d'ancienneté.

Dans ce modèle, d'une part la valeur de la rémunération est connue avant la réalisation du contrat, et d'autre part la fixité du salaire répond à une logique assurantielle. En ce sens, le salaire en fonction du poste de travail est parfaitement en accord avec le fondement du contrat de travail : le salarié est protégé contre les aléas économiques de la firme et, en échange, il accepte d'obéir (subordination juridique) à l'employeur.

Les modalités d'évolution de la rémunération reposent sur deux principes, une augmentation annuelle collective du salaire de base, sur la base de l'inflation passée, et une possibilité d'augmentation individuelle par le biais des promotions permises par la mobilité verticale. Des années 1960 aux années 1980, du fait de la pénurie de personnel qualifié, la mise en place de « carrières » dans les grandes firmes a constitué le moyen de fidéliser les salariés indispensables, évitant par ailleurs des coûts de transaction (coûts de recrutement, de turn-over, etc.).

Ces règles d'allocation et de rémunération reposent sur une nature semblable : elles sont impersonnelles (les règles s'appliquent à tout le monde), collectives (uniformes), objectives (promotion fondée sur le critère de l'ancienneté), institutionnalisées (importance des conventions collectives, notamment de branche, qui harmonisent les conditions de la concurrence entre les firmes).

La remise en cause de la relation d'emploi fordiste

Si, durant la période des trente glorieuses, ces règles du marché interne se sont avérées efficaces, elles ont progressivement rencontré trois catégories de limites.

Avec la nouvelle donne concurrentielle (qualité et complexité des produits, importance de l'innovation), les firmes ont dû repenser le rôle des employés dans l'organisation ; si, au sein du marché interne fondé sur le poste, on attendait de l'employé qu'il se contente de respecter les prescriptions, les employeurs souhaitent maintenant que les salariés mettent en œuvre des compétences en développant leur capital humain, ce qui suppose de leur octroyer une plus forte autonomie dans le travail et une valorisation de ces compétences.

Le développement des nouvelles technologies a remis en cause la deuxième caractéristique du poste, son caractère procédural. En effet, la complexité des processus automatisés nécessite de la part des employés une capacité à intervenir instantanément, par exemple en cas de panne ou d'un dérèglement quelconque.

La stabilité temporelle, troisième caractéristique du poste, est de moins en moins pertinente face à la vitesse d'évolution de l'environnement et il s'agit au contraire pour la firme de remodeler en permanence sa structure organisationnelle [Stankiewicz, 1999]. Cet impératif de réactivité a entraîné une autre innovation organisationnelle, la réduction des lignes hiérarchiques.

De plus, pour s'adapter à cette nouvelle donne environnementale, caractérisée par une instabilité et une incertitude des marchés, les grandes firmes ont dû modifier leurs stratégies en matière de formes contractuelles d'emploi. La forme dominante des trente glorieuses, le contrat à durée indéterminée à temps plein, s'est révélée progressivement trop rigide, car limitant la capacité des firmes à s'adapter aux fluctuations de la demande. Les firmes ont alors dû rechercher des formes contractuelles plus flexibles.

La deuxième catégorie de limites renvoie à la faiblesse des mécanismes incitatifs. Le seul dispositif véritablement incitatif, la possibilité d'obtenir une promotion, a été de moins en moins efficace au fur et à mesure que les firmes réduisaient le nombre de leurs niveaux hiérarchiques. Par ailleurs, la rémunération en fonction du poste interdisait toute prise en compte du capital humain des employés, alors même que le niveau de formation ne cessait de s'accroître.

Enfin, pour les économistes appartenant au courant de la théorie de la régulation, la remise en cause des règles d'emploi de la période des trente glorieuses résulterait du phénomène qu'ils qualifient de « financiarisation du rapport salarial ». La montée en puissance des investisseurs institutionnels, vue dans le chapitre IV, se solderait par une diminution de l'autonomie des cadres dirigeants, non seulement dans leurs choix stratégiques mais également dans la gestion de l'emploi et l'organisation du travail. Les managers seraient ainsi tenus par les exigences des actionnaires en matière de rentabilité des capitaux investis [Coutrot, 2002]. Affinant ce point de vue, Rebérioux [2002] montre qu'en fait, au-delà de la détention de titres par des investisseurs institutionnels, c'est la présence des marchés financiers, donc le fait pour une firme d'être cotée, qui apparaît déterminante quant à la reconfiguration du rapport salarial. Il met en évidence deux courroies de transmission entre les marchés financiers et la gestion de l'emploi, l'impact des stratégies industrielles des firmes sur le cours du titre et le poids des représentations sur la conduite des affaires par les managers. De ce point de vue, l'accent mis sur la valeur actionnariale comme objectif premier de la firme justifierait les décisions des managers en matière de nouvelles formes et règles d'emploi. Les anciennes règles seraient perçues comme inefficientes au regard des « contraintes » financières nouvelles qui pèsent sur les firmes.

2. De nouvelles formes et règles d'emploi

Stratégies des firmes et nouvelles formes d'emploi

À partir des années 1980, les stratégies des firmes en matière d'emploi ont évolué dans deux directions complémentaires, toutes deux ayant comme finalité l'accroissement de la flexibilité externe, de manière à réaliser l'adaptation la plus étroite possible des hommes aux besoins de la production.

Flexibilité externe et extériorisation organisationnelle

La flexibilité externe peut d'abord être obtenue en recourant à la sous-traitance, qui aboutit à réduire le périmètre organisationnel de la firme. L'objectif pour les firmes donneuses d'ordres est alors de faire peser sur les firmes sous-traitantes les variations cycliques de leur activité. De plus, le coût est abaissé car les salariés des firmes sous-traitantes ne bénéficient pas des mêmes salaires et avantages sociaux que les salariés des grandes firmes donneuses d'ordres (voir chapitre VI). Le travail indépendant dans l'orbite d'une grande firme constitue une forme particulière de sous-traitance puisqu'il consiste à employer des individus, ponctuellement ou régulièrement, sans qu'il y ait contrat de travail ; ces individus ont le statut de travailleurs indépendants, régis par un contrat commercial. La part de cette forme d'emploi a fortement augmenté de 1986 à 1996, passant de 4 % à 16 % en Europe (de 3 % à 11 % en France) [Plihon, 2003]. Cette stratégie d'extériorisation du personnel concerne de nombreuses situations concrètes : le tractionnariat dans le secteur des transports routiers, les formes de merchandising dans la grande distribution, l'extériorisation de certains services (comptabilité, communication, traduction par exemple). On trouve également des travailleurs indépendants dans des activités de services hautement qualifiées : activités de création, design, informatique. Ces pratiques semblent aussi se multiplier avec le développement des métiers liés aux NTIC (nouvelles technologies de l'information et de la communication), suscitant des formes de retour au travail indépendant à domicile, caractéristique de l'économie présalariale. Trois raisons expliquent le développement du travail indépendant : les coûts salariaux et non salariaux liés à l'emploi sont réduits car ils sont ajustés au strict besoin de l'activité ; le travailleur indépendant est censé être plus productif qu'un travailleur salarié car son revenu est directement corrélé à son niveau d'effort ; c'est un outil important de flexibilité car il est très facile de suspendre, voire de rompre un contrat commercial, comparativement à un contrat de travail.

Flexibilité et contrats atypiques

L'autre grande forme de flexibilité externe est obtenue en recourant au travail temporaire, sous forme de contrats à durée déterminée (CDD) ou de travailleurs intérimaires, et au travail à temps partiel. En France, bien qu'elles soient inférieures à 10 % de la population active, on constate depuis les années 1970 la montée continue de ces formes d'emploi précaires, qualifiées d'« atypiques » par rapport à la norme d'emploi des années 1960, caractérisée par le contrat à durée indéterminée à temps plein. Certains secteurs recourent massivement à ce type de contrats. Armelle Gorgeu et René Mathieu [2000] notent que le travail temporaire constitue une composante essentielle de la gestion de la main-d'œuvre dans la filière automobile. Intérimaires et personnel en CDD représentent un pourcentage important par rapport à l'effectif permanent d'un établissement, avec des pointes lors de la sortie d'un nouveau modèle. Il est fréquent de trouver autant de personnel précaire que de personnel productif permanent dans un établissement (40 % à 50 % de l'effectif permanent). Le personnel permanent est ainsi prévu au plus juste, et la flexibilité externe régule à tout moment les fluctuations de la production. Le recours à ces contrats vise également à sélectionner et trier les travailleurs, les personnes sous contrats précaires étant susceptibles d'être embauchées ultérieurement en CDI, en fonction de leurs résultats. Ces mêmes auteurs indiquent enfin un argument peu banal de justification du recours au travail précaire par les constructeurs automobiles. Il faut savoir que l'intérim est une marchandise qui rentre, d'un point de vue comptable, dans le poste « achats de fournitures », puisque les intérimaires ne sont pas salariés de la firme mais de l'agence d'intérim qui facture à la firme une prestation de services. Cette stratégie permet de répondre aux impératifs de rentabilité financière, en présentant des ratios de productivité satisfaisants, calculés à partir des seuls effectifs inscrits (CDI et CDD), alors que les intérimaires, bien évidemment, contribuent à ce résultat de productivité. En effet, les firmes sont évaluées en permanence par les analystes financiers et les gestionnaires de portefeuille. Les ratios de productivité du travail procurent à ces analystes des éléments précieux sur la « santé productive » des firmes [Montagne et Sauviat, 2001].

Au total, ces pratiques d'externalisation et de recours à des contrats précaires aboutissent à réduire le périmètre de la firme, donc les marchés internes du travail, et dessinent un nouveau modèle d'emploi. On trouve au centre les nouveaux marchés internes du travail (salariés bénéficiant d'un CDI), qui correspondent aux compétences distinctives de la firme (voir chapitre II), et autour (1) les salariés temporaires de la firme, (2) les travailleurs indépendants, (3) les salariés d'autres firmes qui sont en relation suivie avec la grande firme. Cette troisième catégorie de salariés correspond aux activités jugées moins cruciales par la grande firme, et qui ont donc fait l'objet d'opérations d'externalisation et d'*outsourcing*. Le schéma suivant visualise ce nouveau modèle d'emploi.

LE NOUVEAU MODÈLE D'EMPLOI

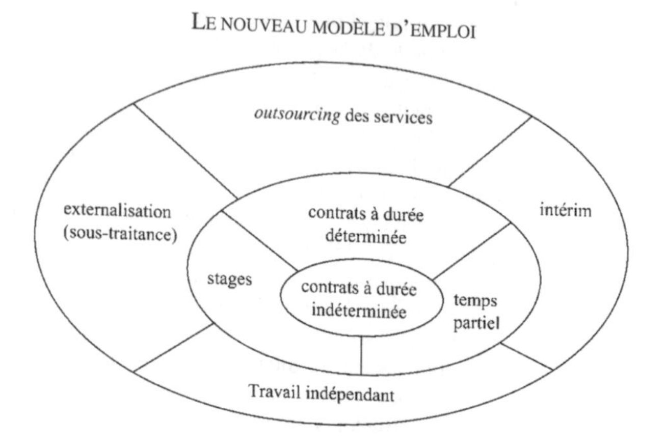

De nouvelles règles d'allocation et de rémunération

Les règles d'allocation : de la logique de poste à la logique de compétence

Le nouveau design organisationnel qui émerge entraîne un basculement important puisque l'objet de la coordination se déplace du poste vers l'individu. Dans le cadre des marchés internes traditionnels, et notamment lorsqu'il s'agit d'élaborer le système des classifications, la préoccupation des employeurs est d'évaluer la valeur du poste, l'employé étant ensuite affecté à tel ou tel poste en fonction de critères comme la durée de la formation, les titres et les diplômes. Dans le nouveau marché interne qui se met en place, il s'agit au contraire d'évaluer l'individu, et plus précisément ses compétences et ses performances. Précisons ici d'emblée ce que nous entendons par ces deux termes, et surtout comment nous les mettons en correspondance. En fait, le concept de compétence n'a pas pour nous de signification indépendamment du processus d'évaluation lui-même, et il s'agit en fait d'identifier ce que les employeurs cherchent à évaluer par le biais de certains dispositifs de gestion. Concrètement, et c'est là la fonction d'un entretien annuel qui se déroule entre l'employé et son supérieur hiérarchique, l'employeur cherche à appréhender les compétences au moyen de deux dispositifs.

Le premier consiste à mesurer des « performances » ou des « résultats », ce qui dans une certaine mesure permet ensuite d'inférer que l'individu dispose de certaines compétences si des résultats observables sont atteints. Cette procédure suppose que l'employeur soit en mesure de fixer à l'employé des objectifs mesurables.

Néanmoins, cette première approche ne tient pas compte du fait que l'obtention des résultats n'est pas nécessairement liée à la mise en œuvre de certaines compétences, puisque, en effet, le résultat peut dépendre également de facteurs extérieurs à l'individu. C'est pour cette raison que les employeurs évaluent une deuxième composante de l'individu, ses compétences proprement dites, c'est-à-dire, en termes économiques, son niveau d'effort. Cette entrée consiste cette fois-ci à inférer qu'il y a compétence si l'employé, dans le cours de son travail, a satisfait à un certain nombre d'exigences, fonction de l'activité de travail (respect d'un cahier des charges, de standards, diligence, prévenance, esprit d'initiative, etc.). Cette évaluation, en partie subjective, suppose que l'employeur a la capacité à observer, en temps réel, l'employé, de manière à pouvoir par la suite porter un jugement sur les compétences qu'il met effectivement en œuvre (voir encadré p. 86).

Grâce à ces deux formes d'évaluation, l'employeur est en mesure d'avoir une vue globale de la « performance » de l'employé, et c'est ce qui explique que les firmes essaient, quand cela est possible, de combiner ces deux évaluations

Autrement dit, et contrairement à la qualification qui, formalisée par les grilles de classification, constitue une propriété irréversible et durable, la compétence relève d'une propriété instable qui doit constamment être soumise à objectivation et validation, l'employé devant systématiquement faire la preuve de son efficacité. Comme le souligne le sociologue Jean-Daniel Reynaud, les compétences, à la différence des qualifications, sont connectées à un résultat et donc sont « mortelles » [2001].

Un exemple d'évaluation des compétences

Par exemple, EDF, pour évaluer les compétences de ses employés, a mis au point des « repères d'activité compétence » (RAC). Ces repères prennent la forme de fiches qui permettent au supérieur hiérarchique d'évaluer les compétences en s'appuyant sur des « faits et actes observables », qui donnent lieu à une appréciation de type binaire (oui ou non), une dernière colonne s'intitulant « à vérifier », au cas où le supérieur hiérarchique ne dispose pas de toute l'information nécessaire pour pouvoir cocher les cases. Les faits et actes observables sont soit des indicateurs quantifiables (exemples : nombre de relances par courrier, nombre de visites de chantier, nombre de dépannages effectués, etc.), soit des observations « en direct », le supérieur hiérarchique observant alors directement son subordonné dans l'exercice de son travail, au moins pour certaines activités. Un tel dispositif garantit ainsi un certain niveau d'« objectivité », en réduisant au maximum la part subjective de l'évaluation.

Ce changement de l'objet de la coordination, non plus l'emploi mais l'individu, entraîne des modifications importantes des règles d'allocation.

Tout d'abord, en matière de recrutement, les employeurs cherchent plus à détecter et à embaucher des « potentiels » que des personnes immédiatement opérationnelles sur un poste précis. L'objectif est de disposer de salariés polyvalents, susceptibles d'être affectés à plusieurs postes et d'évoluer à plus ou moins long terme au sein de la firme.

Ensuite, même si les conventions collectives de branche et les grilles de classification associées ne sont pas remises en cause, on constate néanmoins une tendance à la décentralisation de l'échange et des négociations sur la valeur du travail. La firme, voire l'atelier ou le service deviennent des niveaux de plus en plus importants de négociation. Cette tendance qui fait de la firme un niveau important de la régulation de l'emploi se retrouve dans la multiplication des accords d'entreprise au cours des années 1990, sous l'impact des lois Auroux de 1982 mais également des modifications des stratégies organisationnelles. La restructuration des grandes firmes par filialisation, sous la forme de petites entités juridiquement distinctes, a eu pour effet de limiter le champ d'application des conventions collectives à un nombre de plus en plus restreint de salariés

L'entretien annuel d'évaluation chez un constructeur automobile

Il comporte cinq phases, ici résumées :

1/ Préalables à l'entretien annuel :

— définition de la mission et des compétences liées à la fonction : elle vise à clarifier le rôle et les responsabilités du collaborateur, en vérifiant qu'il comprend parfaitement ce qu'on attend de lui et qu'il sait discerner, dans son activité quotidienne, l'essentiel de l'accessoire, et à identifier les compétences clés à exercer. Tout ceci doit être fait avant l'entretien, en remplissant au préalable les rubriques du dossier d'entretien annuel ;

— fixation des objectifs personnels de performance (OPP) et rappel des modalités d'obtention des résultats, qui correspondent aux valeurs prônées par le groupe dans la conduite de l'action.

2/ Le point sur les activités :

— évaluation des résultats sur les missions principales : tour d'horizon des points saillants de l'année, vérification des points clés de la mission, réalisations marquantes du collaborateur (exemple : comment fait-il évoluer sa fonction ?) ;

— évaluation de la performance sur les objectifs : vérification de l'atteinte des OPP, étude des modalités d'obtention des résultats (implication sur OPP, mobilisation hors OPP, capacité à pérenniser, solidarité).

3/ Le point sur les compétences :

— évaluation des compétences liées à la fonction : points forts et points à améliorer ;

— évaluation des compétences managériales requises (pour les collaborateurs en situation d'encadrement ou d'animation).

4/ Appréciation de la maîtrise générale de la fonction :

— appréciation de la hiérarchie : elle fait la synthèse des points 2 et 3 ;

— commentaires du collaborateur.

5/ La préparation de l'avenir :

— aspirations du collaborateur : souhaits d'évolution dans la fonction, capacités de mobilité, etc. ;

— avis du supérieur hiérarchique sur ces aspirations ;

— point sur les formations de l'année écoulée : il s'agit de vérifier les fruits des formations que le collaborateur a suivies au cours de l'année précédente et d'apprécier la qualité des acquis réalisés ;

— besoins de formation et de développement.

---

alors qu'elles étaient négociées traditionnellement au niveau du « groupe ». De plus, les stratégies d'externalisation et d'*outsourcing* (voir chapitre VI) ont également abouti à faire « sortir » les salariés concernés des conventions collectives dont ils bénéficiaient auparavant.

Par ailleurs, la manière dont les salariés s'inscrivent dans les systèmes de classification a évolué et elle repose de plus en plus sur l'entretien individuel d'appréciation (voir encadré). Au cours de cet entretien, le salarié et le supérieur hiérarchique tentent de « mesurer » l'écart existant entre les compétences requises dans l'emploi et celles qui sont effectivement détenues par le salarié. Ce constat doit éventuellement déboucher sur des actions de formation du salarié, en vue d'améliorer son niveau de compétences. Ce processus s'avère parfaitement rationnel lorsque la firme est soumise à des aléas importants : contrairement au système rigide du modèle antérieur, les dispositifs d'appréciation du salarié favorisent sa « réallocation » entre les différents emplois de la firme.

C'est pour cette raison que les règles de mobilité connaissent des mutations non négligeables. Les dispositifs récents, centrés sur l'individu, stimulent les possibilités de mobilité, tant verticale qu'horizontale. En effet, la mobilité est facilitée par la reconnaissance des compétences du salarié et il est alors possible, pour le supérieur hiérarchique, en connaissant bien les caractéristiques des emplois offerts par la firme, de connaître les situations de travail qui correspondent le mieux aux aptitudes du salarié.

Les règles de rémunération : individualisation et négociation décentralisée

Le tableau suivant compare les nouvelles règles qui émergent avec les règles du modèle traditionnel.

En ce qui concerne la fixation du salaire, même si le poste demeure une référence essentielle, notamment à l'entrée dans une firme, on constate bien une modification de l'étalon, avec plus précisément une multiplicité d'étalons très spécifiques, locaux [Reynaud, 1992]. La compétence individuelle et la performance atteinte deviennent de nouveaux étalons, en complément du poste de travail. À l'entrée dans une firme, si le salaire reste encadré par les grilles de classification, il peut néanmoins varier à l'intérieur d'une fourchette large.

Mais c'est surtout l'évolution de la rémunération qui connaît des transformations importantes. D'une manière générale, celle-ci peut se ramener à la formule générique suivante : indexation sur le coût de la vie anticipé + individualisation de la hausse du salaire de base + bonus individuel + intéressement collectif.

Les augmentations générales annuelles, collectives, sont de plus en plus faibles, et les salariés ne peuvent plus compter sur ces augmentations pour accroître significativement leur rémunération réelle. L'évolution de la rémunération repose donc de plus en plus, pour les cadres mais également de manière croissante pour les

UNE COMPARAISON ENTRE ANCIENNES
ET NOUVELLES RÈGLES DE RÉMUNÉRATION

Formes de rémunération *Caractéristiques*	*Salaire de base uniforme (logique de poste)*	*Salaire de base différencié (logique de compétence)*	*Rémunération de la performance individuelle et/ou collective (primes, bonus)*
Étalon	le poste (coefficient)	le poste et la compétence individuelle	la performance individuelle et/ou collective
Niveau de définition de l'étalon	la convention collective de branche	la convention collective et la firme	la firme
Règles d'augmentation	– augmentation collective du salaire de base – promotion dans la grille	– augmentation collective du SB – augmentation individuelle liée à l'évaluation de la compétence	montant variable lié à l'atteinte d'un indicateur
Degré de réversible	irréversibilité	irréversible et cumulatif	réversible et non cumulatif
Valeur de la rémunération connue	avant la réalisation du contrat de travail	t0 : avant la réalisation du contrat de travail t1, t2, etc. : après la fin de l'exercice	après : à la fin de l'exercice

salariés non cadres, sur les deux modalités d'évaluation du salarié que nous avons déjà indiquées, l'une objective, par l'intermédiaire de l'évaluation de l'output, l'autre subjective, par l'intermédiaire de l'évaluation de l'input. Lors de la négociation annuelle, le salarié conclut un contrat d'objectif avec son supérieur hiérarchique direct (qualifié de n + 1). Concrètement, la procédure se déroule de la manière suivante (voir encadré sur entretien individuel) : le supérieur hiérarchique négocie tout d'abord, généralement pour une durée d'un semestre ou d'une année, des performances à atteindre, sous forme d'objectifs quantifiables, et des compétences à développer. Ces contrats, dits contrats d'objectifs, sont construits selon un système en « cascade » (les managers utilisent l'expression « cascade *top-down* »), de manière à assurer la cohérence globale des incitations au sein de la firme. Le contrat fait ensuite *ex post* l'objet de l'évaluation, qui porte sur les objectifs fixés *ex ante*, mais également sur les compétences mises en œuvre et développées sur la période. La réalisation du contrat entraîne le versement d'un bonus, prime réversible. L'autre modalité repose sur la deuxième partie de l'évaluation, celle qui concerne l'appréciation et l'évaluation des compétences. Cette évaluation, contrairement à l'évaluation de l'output, est cette fois-ci susceptible de déboucher sur une augmentation irréversible du salaire. L'employeur considère en effet que, compte tenu du niveau de compétences atteint, l'employé dégage un niveau de performance supérieur et il doit être récompensé. À titre d'exemple, si on reprend l'encadré présentant une grille d'évaluation chez un constructeur automobile, le point 2 de l'entretien (vérification des OPP) débouche sur le versement ou non d'un bonus, le point 4 (appréciation de la maîtrise générale de la fonction) débouche ou non sur l'augmentation irréversible du salaire. Cette deuxième modalité constitue certes une incitation à l'effort, mais également une incitation à acquérir de nouvelles compétences, que l'employeur rémunérera éventuellement s'il considère qu'elles affecteront les performances ultérieures de l'employé. Il peut s'agir par exemple de l'acquisition d'une langue étrangère, du maniement d'une nouvelle machine, etc. Enfin, l'augmentation de la rémunération est éventuellement complétée par l'attribution de primes collectives, qui sont versées si certains indicateurs globaux définis au niveau d'un atelier, d'un service, d'un établissement ou de la firme sont atteints.

Pour le salarié, ces nouvelles règles entraînent des modifications importantes. La première résulte du fait que la valeur de la rémunération n'est pas entièrement connue en début d'exercice (t0), le versement de la partie variable, individuelle et/ou collective, étant lié à l'atteinte d'indicateurs. Cette règle introduit une incertitude sur le calcul de la rémunération. De plus, l'évolution dans le temps de la rémunération est également incertaine puisque dépendante de l'appréciation des compétences par les supérieurs hiérarchiques. Autrement dit, ces nouvelles règles aboutissent à faire peser sur le salarié une partie du risque financier de la firme. On peut s'interroger sur les conséquences de ces nouvelles règles sur le contrat de travail. Nous avons indiqué plus haut que le fondement du contrat de travail repose sur le fait que le salarié, en échange de la subordination juridique, obtient le droit à une créance fixe sur la firme. Sa rémunération est donc indépendante des résultats de la firme. Faire peser le risque de l'activité économique sur le salarié revient bien à modifier substantiellement la nature du contrat de travail.

Les avantages de ces nouvelles règles pour l'employeur sont doubles : grâce à la flexibilité de sa masse salariale, la firme maîtrise ses coûts salariaux, et ces règles favorisent l'incitation à l'effort et à l'acquisition de compétences pour le salarié, contrairement aux anciennes règles jugées trop peu incitatives.

3. Cohérence et limites des nouvelles règles de la relation d'emploi

A priori, comme le montre le tableau suivant, ce nouveau modèle semble posséder une grande cohérence, que ce soit au niveau des règles d'allocation ou au niveau des règles de rémunération. En effet, il est adapté à la nouvelle donne environnementale, il utilise de manière efficace le capital humain des salariés, et il possède des vertus incitatives tout en permettant une flexibilité salariale.

COHÉRENCE EXTERNE ET INTERNE
DES NOUVELLES RÈGLES DE LA RELATION D'EMPLOI

Règles d'allocation	*Règles de rémunération*
* adaptées à l'environnement économique : flexible, réactif (décentralisation)	* meilleure maîtrise de la masse salariale : partie variable et réversible (décentralisation)
* meilleure utilisation du capital humain des salariés : autonomie, initiative, responsabilité	* vertus incitatives : acquisition de compétences, incitation à l'effort, objectifs de qualité

Pour autant, il n'est pas sans soulever de nombreuses interrogations. Tout d'abord, il existe de nombreux biais liés aux procédures d'évaluation, notamment lorsqu'elles s'appuient sur des éléments subjectifs : difficulté pour les supérieurs hiérarchiques à différencier les salariés, tendance à l'indulgence de la part de ces mêmes

COMPARAISON DES RÈGLES D'ALLOCATION ET DE RÉMUNÉRATION

		Allocation	*Rémunération*
Ancien modèle (logique de poste)	Type de règles	– descriptions de poste – classification des emplois – mobilité : ancienneté	– salaire au poste – prime d'ancienneté
	Nature des règles	– impersonnelles – collectives : uniformes – règles objectives (exemple : promotion) – institutionnalisées (exemple : convention collective)	– impersonnelles – collectives : uniformes – règles objectives (exemple : hausse à l'ancienneté) – institutionnalisées (exemple : convention collective) – logique : assurantielle
Nouveau modèle (logique de compé-tence)	Type de règles	– affectation fonction des compétences – mobilité fonction des compétences	– augmentation liée à la compétence – prime à la performance
	Nature des règles	– individuelles – objectives et/ou subjectives – non institution-nalisées : rôle de la hiérarchie – décentralisées	– individuelles – objectives et/ou subjectives – non institution-nalisées : rôle de la hiérarchie – décentralisées – logique incitative

Au total ces nouvelles règles et la remise en cause de la stabilité de la relation d'emploi modifient bien la nature de la firme.

supérieurs qui ne veulent pas dégrader l'atmosphère des équipes de travail, etc. Autrement dit, ces procédures, très lourdes à mettre en place et très coûteuses en temps, sont susceptibles d'entraîner des tensions et des conflits au sein des équipes de travail. En outre, ces nouvelles règles de rémunération modifient le type de justice intra-firme. Les règles de l'ancien modèle favorisaient un certain sens de la justice et de l'équité, fondé sur le fait que les règles de rémunération, claires et explicites, s'appliquaient de manière indifférenciée à l'ensemble des employés. Deux règles étaient considérées comme essentielles : « à travail égal, salaire égal », et la règle de l'avancement à l'ancienneté. Le nouveau mode de contractualisation, qui introduit une forme de concurrence entre les salariés, pourrait se révéler dans certains cas incompatible avec la nécessaire coopération des salariés et provoquer des « désincitations ». Sa logique individualiste entrerait ainsi en contradiction avec l'équilibre collectif de la firme [Dubrion, 2003].

Enfin, comme le montre le tableau de la page précédente, qui compare l'ensemble des règles d'allocation et de rémunération des deux modèles, la nature des règles est profondément altérée dans le nouveau modèle. De moins en moins institutionnalisées et collectives, elles répondent inversement à une logique contractuelle individualiste fondée sur une négociation bilatérale propre à chaque firme.

VI / Les frontières de la firme : de la firme intégrée à la « firme-réseau »

De manière très fréquente, les dirigeants des firmes sont confrontés au choix suivant : faut-il se procurer les biens (produits intermédiaires, composants) à l'extérieur de la firme, donc auprès de fournisseurs sur le marché, ou bien au contraire faut-il les produire dans la firme ? Poser une telle question nous ramène à notre première partie, et plus précisément aux travaux qui mettent l'accent sur les difficultés contractuelles entre les fournisseurs et les clients. C'est le cas bien sûr des travaux de Coase et de Williamson, mais également de la théorie des contrats incomplets. Rappelons que, pour ces approches, c'est essentiellement les défaillances du marché qui expliquent le recours à la firme, qui entreprend alors un processus d'intégration verticale. Or, dès les années 1970, Richardson, précurseur de l'approche de la firme par les compétences, avait remis en cause la dichotomie coasienne marché-firme, en introduisant une catégorie intermédiaire qualifiée de « coopération interfirmes ». Cette problématique théorique est d'autant plus intéressante que, du point de vue des faits, on constate depuis les années 1990 une modification des stratégies des firmes en matière d'approvisionnement et de distribution. La firme fordiste, relativement intégrée et entretenant des relations de sous-traitance traditionnelle avec ses principaux fournisseurs, se recentre sur son métier principal et modifie ses mécanismes de coordination avec ses fournisseurs. Elle laisse ainsi progressivement la place à la « firme-réseau ». Le développement de cette forme organisationnelle renouvelle les interrogations théoriques sur les frontières de la firme : comment l'appréhender par rapport au marché et à la firme ?

1. La répartition des activités entre marché, firme et relations interfirmes

Entre le marché et la hiérarchie : la coopération interfirmes

S'interrogeant sur le problème de la répartition des activités dans une économie donnée, Richardson [1972] distingue, au sein des relations de marché, deux types de relations, les pures transactions de marché d'une part, les transactions de coopération d'autre part. Les premières renvoient à la conception du marché proposée par la théorie économique néoclassique, selon laquelle les relations entre les firmes reposent sur la confrontation d'une offre et d'une demande portant sur des biens parfaitement identifiés. La seule information pertinente est dans ces conditions celle qui porte sur le prix.

Or, dans la réalité économique, de nombreuses relations clients-fournisseurs sont en partie « hors marché », c'est-à-dire qu'elles rentrent dans la catégorie dénommée par Richardson de « transactions de coopération », puisque les produits ne préexistent pas à l'échange. Deux cas de figure sont possibles : soit le produit existe sous forme de « plan » conçu par la firme cliente, et le fournisseur se charge de la fabrication, soit il n'existe que sous forme de « besoin » exprimé par le client et c'est en commun que le client et le fournisseur effectueront la conception, le fournisseur se chargeant ensuite de la fabrication. Dans les deux cas, le fournisseur doit accepter de nombreuses obligations contractuelles de la part du client, et notamment des directives techniques plus ou moins contraignantes (plan de la pièce, spécifications fonctionnelles, etc.). Il s'agit donc ici d'une originalité centrale de ce type de relation interfirmes dans la mesure où il n'existe pas de confrontation entre une offre et une demande portant sur des biens parfaitement standardisés et homogènes.

La question posée par Richardson est alors la suivante : comment expliquer la répartition des activités entre le marché, la firme et la coopération interfirmes ?

Dans un premier temps, Richardson distingue les activités « similaires » et les activités « complémentaires », le terme « activité » étant entendu dans son extension sémantique maximale, car il désigne non seulement les activités de production, mais aussi la recherche/développement, le marketing. Les activités similaires correspondent aux activités qui demandent les mêmes compétences pour être entreprises, la notion de « compétences » renvoyant aux savoirs, expériences et qualifications. Les organisations vont alors tendre à se spécialiser dans les activités pour lesquelles leurs compétences particulières leur procurent des avantages comparatifs. Quant aux activités complémentaires, elles représentent différentes phases d'un processus de production, et doivent donc être coordonnées. Ainsi, la similitude et la complémentarité sont tout à fait distinctes. Par exemple, la production d'isolants en porcelaine est complémentaire de celle des commutateurs électriques, mais est semblable à celles d'autres fabrications de céramique. Et tandis que la vente au détail de brosses à dents est complémentaire de leur fabrication, elle est semblable à la vente au détail de savons. Pour Richardson, il est évident que ces activités complémentaires doivent être coordonnées à la fois quantitativement et qualitativement.

Richardson énonce dans un deuxième temps le principe de division du travail entre le marché, la firme et la coopération interfirmes. D'un point de vue théorique, si aucune compétence spéciale n'est exigée, il n'y a pas de limite à l'extension de la coordination par l'organisation. Or, ce n'est pas le cas dans la réalité car l'étendue de la coordination par l'organisation est limitée par le fait que les activités complémentaires ne sont pas nécessairement similaires. Pour des activités complémentaires non similaires, la firme est confrontée au dilemme « faire ou faire faire », point de départ de ce chapitre. Deux cas sont possibles. Pour des activités ne nécessitant pas une coordination *ex ante*, le recours au marché s'impose, il assure la jonction des plans entre les organisations grâce à un nombre important de fournisseurs potentiels. En revanche, pour des activités complémentaires très proches, une coordination, à la fois qualitative et quantitative, *ex ante*, est nécessaire entre les organisations, et les firmes ont recours à la coopération.

Deux types de relations interfirmes

Ceci dit, une analyse plus fine de la réalité économique permet de distinguer, au sein de la catégorie coopération au sens de Richardson, deux modalités d'organisation entre une firme principale et ses fournisseurs, il s'agit de la quasi-intégration verticale et de la quasi-intégration oblique [Baudry, 1995] (voir encadré). Le terme quasi-intégration, que l'on doit à Houssiaux [1957], signifie

Les différentes formes de quasi-intégration

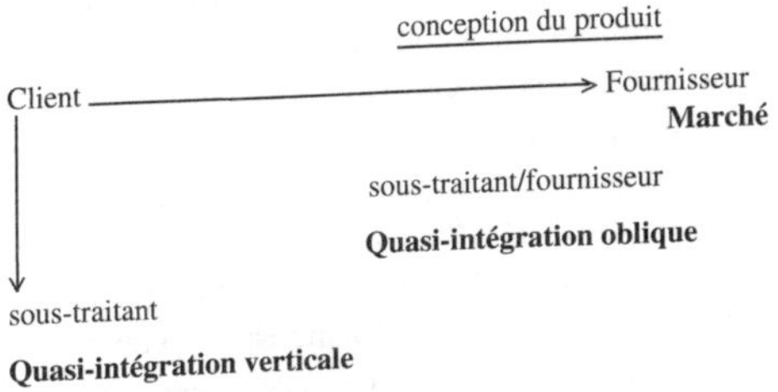

conception du produit

Client → Fournisseur
Marché

sous-traitant/fournisseur
Quasi-intégration oblique

↓
sous-traitant
Quasi-intégration verticale

Dans le cas de la quasi-intégration verticale, le client, appelé donneur d'ordres, maîtrise totalement la conception du produit et la transmission de l'information s'effectue de manière verticale. Cette configuration correspond à la sous-traitance.

La quasi-intégration oblique traduit le fait que la conception du produit est le fruit d'une « collaboration » entre client et fournisseur : le client se contente de préciser les spécificités fonctionnelles du produit, laissant sa conception au vendeur (encore appelé sous-traitant/fournisseur), comme c'est le cas par exemple des équipementiers de l'automobile.

Le dernier cas de figure représente les liaisons clients/fournisseurs au sens strict. On retrouve ici les pures transactions de marché de Richardson.

que la relation interfirmes en question ne relève ni du marché, ni d'un processus d'intégration verticale.

Depuis les années 1980, le modèle de quasi-intégration verticale a progressivement laissé la place au modèle de quasi-intégration oblique. Ce passage signifie l'avènement de la firme-réseau comme nouvelle forme organisationnelle.

2. Les stratégies d'externalisation : recentrage sur le « métier » et émergence de la « firme-réseau »

De la firme fordiste intégrée et diversifiée à la firme recentrée

La firme fordiste a été caractérisée par un degré d'intégration et de diversification relativement élevé [Boyer et Durand, 1993]. Puis, à partir des années 1980, les grandes firmes ont opté pour une stratégie de recentrage, stratégie dominante aujourd'hui aussi bien aux États-Unis qu'en Europe et au Japon. Pour Laurent Batsch [2002], ce terme de recentrage caractérise bien le modèle de croissance des grandes firmes depuis la fin des trente glorieuses : recentrage sur les compétences clés de la firme pour affronter les nouvelles conditions concurrentielles, recentrage sur les objectifs de rentabilité des investissements, recentrage sur les intérêts de l'actionnaire. De manière plus précise, cet auteur distingue trois phases pour caractériser cette stratégie. Tout d'abord, dans les années 1970 et 1980, les firmes ont effectué une phase de recentrage défensif consécutive à l'échec des stratégies précédentes de diversification et d'intégration, et aux contraintes financières. La deuxième phase, de nature offensive, est qualifiée de recentrage organisationnel : les grandes firmes optent pour une stratégie d'externalisation structurelle. Il s'agit pour elles de définir le cœur de leur métier, leurs compétences distinctives au sens de la théorie des compétences. Cette deuxième phase est consolidée et amplifiée par la nature financière du recentrage : la logique financière d'économie de capitaux et de rentabilisation conduit à une redéfinition des frontières. Ce recentrage d'inspiration financière, qui s'appuie à la fois sur une vague de fusions-acquisitions et sur l'externalisation d'activités (processus de désintégration verticale), amène la firme à se spécialiser, offrant ainsi une meilleure lisibilité aux investisseurs.

C'est ainsi que dans l'automobile, les constructeurs ont opéré un recentrage sur leurs métiers de base : conception de nouveaux véhicules, assemblage, marketing, financement des ventes [Reinaud, 1999], en externalisant l'électronique, les sièges, les équipements de bord, les pare-chocs, les blocs optiques. Ce recentrage s'est également accompagné d'une rationalisation des achats : à l'horizon de 2005, les principaux constructeurs n'auront pas plus d'une centaine de fournisseurs de « modules », soit cinq fois moins qu'il y a dix ans. L'évolution est parallèle dans l'industrie aéronautique [Alcouffe, 2002]. De même, les grandes firmes du secteur des équipements télécoms et informatiques ont externalisé l'assemblage de leurs produits.

De manière générale, trois grands facteurs sont susceptibles d'expliquer ce mouvement généralisé de désintégration verticale.

En externalisant, le client transfère au fournisseur les deux risques inhérents aux investissements : le risque de surcoût lié au surinvestissement et le risque de sous-capacité lié au sous-investissement.

L'externalisation a également comme finalité une diminution des coûts pour le client, ce qui doit accroître sa rentabilité économique. Cette réduction de coût repose sur deux mécanismes principaux. Lorsqu'un fournisseur travaille simultanément pour plusieurs clients, il réalise des économies d'échelle par le biais de la mutualisation des équipements et du personnel. De plus, le coût est réduit car généralement les fournisseurs offrent à leurs salariés des conditions salariales moins intéressantes que la firme qui externalise et les avantages annexes sont également moindres du fait de conventions collectives moins favorables (avantages sociaux, retraites, horaires, etc.).

Enfin, à travers l'externalisation, ce sont les avantages de la division du travail interfirmes qui ressortent : chaque firme, en concentrant ses ressources (par définition limitées) sur les activités qu'elle maîtrise le mieux, fait profiter aux firmes avec lesquelles elle est en relation des progrès qu'elle réalise en termes de coût, de performance et de qualité. Les clients bénéficient de l'expertise des fournisseurs qui améliore les performances des activités qui leur sont transférées. Ce troisième facteur explicatif nous renvoie à l'approche par les compétences : il s'agit pour les grandes firmes d'externaliser les activités qui ne sont pas similaires à leurs activités de base mais qui néanmoins sont complémentaires. La question principale est dès lors celle des modalités de la coordination entre la grande firme et les firmes en situation de fournisseur.

De nouvelles modalités de coordination interfirmes : la « firme-réseau »

Les limites du modèle de la quasi-intégration verticale

Durant la période fordiste, le modèle de relations interfirmes a été celui de la quasi-intégration verticale. Les fournisseurs avaient essentiellement un rôle d'amortisseur des fluctuations conjoncturelles. La firme donneuse d'ordres reportait sur eux la flexibilité de l'emploi, notamment en cas de sous-traitance de capacité. Les fournisseurs devaient s'organiser pour faire face à cette demande de flexibilité quantitative, ils devaient également minimiser les coûts de production car ils subissaient en permanence la mise en concurrence de la part des grandes firmes.

Ce modèle a rencontré progressivement un certain nombre de limites à partir des années 1970.

Les premières renvoient aux modifications affectant le produit et les technologies. La période de croissance fordiste s'est traduite, du côté de la demande, par une consommation de masse de produits relativement standardisés. À partir des années 1970, on constate un passage à l'ère de la différenciation, c'est-à-dire que pour un même produit de base, les caractéristiques espérées ou attendues par chaque catégorie de consommateurs deviennent particulières et spécifiées. Cette différenciation des produits est en fait tout autant la résultante de la modification de la demande des consommateurs que de la mise en place de stratégies d'offre volontairement actives de différenciation des produits. Cette modification de la nature du produit ne peut qu'altérer la nature de la relation technique entre le client et le fournisseur, en la complexifiant. Le vendeur doit être désormais capable de maîtriser les compétences nécessaires à la réalisation de la transaction, celle-ci ne portant pas/plus seulement sur la production d'un bien marchand, mais aussi sur la capacité du fournisseur à jouer un rôle de conseil, à améliorer le produit au long de son cycle de vie, etc.

Les nouvelles technologies ont offert de nouvelles possibilités d'organisation industrielle grâce à la gestion assistée par ordinateur des flux d'informations et de produits, et grâce à la flexibilité des biens d'équipement. Désormais, grâce à l'informatisation des processus de production, les firmes sont en mesure de joindre leurs capacités pour une même transaction. Des composants essentiels d'un même produit peuvent être mis au point simultanément et conjointement dans des firmes différentes, grâce à la CFAO (conception et fabrication assistées par ordinateur).

Les autres limites découlent de la faiblesse, pour les fournisseurs, des mécanismes incitatifs à l'innovation. La quasi-intégration verticale reposait essentiellement sur une logique marchande, qui consistait à avoir au moins deux vendeurs pour une même pièce, à éviter toute politique d'engagement, et donc à pratiquer une politique de rotation effective du stock des sous-traitants. Dès lors, les sous-traitants étaient dans l'incapacité de planifier leurs investissements. Un tel modèle a également eu des conséquences néfastes sur la qualité des produits livrés et sur l'effort d'innovation technologique du vendeur.

L'ensemble de ces limites explique le passage du modèle de la quasi-intégration verticale à celui de la quasi-intégration oblique, modèle d'organisation interfirmes de la firme-réseau.

Quasi-intégration oblique et « firme-réseau »

L'émergence de la firme-réseau, forme organisationnelle dominante dans de nombreux secteurs à partir des années 1990, comme l'automobile, la construction aéronautique, la chaussure, le textile, le bâtiment, l'informatique, l'agroalimentaire, résulte simultanément de la stratégie de recentrage des grandes firmes et de la mise en place de nouveaux dispositifs de coordination. Des firmes comme Renault, PSA, Aérospatiale, Danone, Benetton, Nike, Coca-Cola, Apple, Marks and Spencer sont des exemples de firme-réseau [Fréry, 1998]. La firme-réseau regroupe contractuellement un ensemble de firmes (1) juridiquement indépendantes, (2) reliées verticalement, (3) au sein duquel une firme principale, qualifiée de firme-pivot, de firme-noyau ou encore d'agence centrale [Fréry, 1997], coordonne de manière récurrente des opérations d'approvisionnement, de production et de distribution. Concrètement, au sein d'une firme-réseau, la coordination s'appuie sur quatre types de dispositifs.

Des dispositifs d'intégration organisationnelle. — Par rapport au modèle précédent, on assiste à une nouvelle forme de division du travail interfirmes. Les fournisseurs doivent désormais livrer des fonctions entières ou des modules, et plus seulement de simples pièces, ce qui rompt avec la pratique antérieure. C'est la complémentarité technologique entre les firmes qui est recherchée. Ce passage de la quasi-intégration verticale à la quasi-intégration oblique aboutit à une intégration organisationnelle poussée entre les firmes : compte tenu de la conception du produit en commun et de la pratique de l'analyse de la valeur des actifs spécifiques humains se développent. Des fournisseurs et des sous-traitants travaillent dans certains cas directement avec les services Recherche et Développement de la firme-pivot. Par exemple, à Airbus, le bureau d'études de Toulouse accueille, en permanence, un volant de personnels extérieurs de l'ordre du quart des effectifs totaux. En ce qui concerne les équipes travaillant sur l'A380, on estime que dans les effectifs de R&D, les personnels d'Airbus et ceux des fournisseurs et sous-traitants sont à parité [Alcouffe, 2002]. Dans le même ordre d'idées, la mise en œuvre de la conception des produits en commun se traduit dans certaines industries par la mise en place de « plateaux de conception » qui sont censés résoudre les deux problèmes de la conception en réseau : non seulement ils permettent de rapprocher les expertises venant de l'extérieur de la firme, mais ils imposent également à tous les acteurs du réseau une même discipline temporelle [Mariotti, Reverdy et Segrestin, 2001].

Des dispositifs d'intégration logistique. — La redéfinition des tâches est favorisée par la mise en place des nouvelles techniques de transmission de l'information, les bureaux d'études des firmes sont directement reliés et des actifs immatériels assurent la coordination logistique entre des entités autonomes. Les firmes-réseaux ont ainsi recours à l'« échange électronique de données » (EDI). L'EDI consiste dans la mise en place d'un langage unidimensionnel qui relie des systèmes d'information de plusieurs organisations ayant des bases de données complètement distinctes. Cette intégration, qui requiert la création et l'apprentissage de codes mutuellement compréhensibles, aboutit à une forme d'investissement organisationnel irréversible, donc assimilable à un actif spécifique, que les organisations doivent consentir pour que les réseaux d'échange électronique puissent fonctionner avec un minimum d'efficacité [Foray, 1997]. Par l'intermédiaire de l'EDI, le centre coordonnateur du réseau est en mesure de s'appuyer sur un traitement automatique des données pour planifier en temps réel l'ordonnancement des tâches dans chaque unité membre du réseau.

Résultant de l'intégration des systèmes d'information des clients et des fournisseurs, l'intégration logistique possède précisément une triple fonction de conception, d'ordonnancement du travail et de planification des livraisons (voir encadré p. 103).

Le modèle dominant d'organisation industrielle est dorénavant celui dit du « flux modulé » ou de la flexibilité généralisée : l'ensemble du cycle de production — des fournisseurs au consommateur final — doit être adaptable sans délai et au moindre coût à toute modification.

Des dispositifs de coordination de la qualité. — La question du contrôle de la conformité du produit est importante dans certaines firmes-réseaux, dans la mesure où les produits qui circulent ne sont pas standardisés, mais dédiés à la firme cliente. Les problèmes de coordination sont aigus car les contractants doivent se mettre d'accord sur la nature du produit échangé, ses caractéristiques techniques et fonctionnelles, etc. Jusqu'aux années 1990, c'est le

Exemples d'intégration logistique

La division avion d'Aérospatiale a ainsi mis au point un logiciel, nommé SPIDER (« système de production informatisé d'éléments regroupés »), dont l'objet est de rationaliser et d'ordonner la production en traitant des pièces différentes par famille, depuis leur conception jusqu'à la production [Larré, 1997]. Les réseaux entre clients et fournisseurs sont donc connectés, et ces derniers doivent régulièrement alimenter la base de données d'Aérospatiale. Ce logiciel permet concrètement de réaliser trois opérations fondamentales : la sélection des sous-traitants, la conception des pièces et la définition des modes opératoires, l'organisation de la fabrication et la livraison.

De même, dans l'automobile, les informations du constructeur sont fournies par liaison informatique, notamment par l'intermédiaire du système de transmission GALIA (système informatique de télétransmissions pour l'industrie automobile française).

contrôle qui a constitué un mécanisme de coordination essentiel, sa fonction étant de vérifier l'adéquation qualitative entre les offreurs et les demandeurs.

Ce mode de coordination a néanmoins progressivement rencontré des limites : c'est un dispositif coûteux pour le client, il porte essentiellement sur le produit et non sur le potentiel technologique du fournisseur, enfin il est totalement incompatible avec les nouvelles techniques de livraison. On constate en effet le passage d'une gestion de l'organisation physique de la production par les stocks à une gestion à « flux tendus ». L'objectif est bien évidemment de diminuer l'importance des stocks, et donc de recevoir les pièces et les composants le moins longtemps possible avant leur utilisation. C'est dans la construction automobile que la pratique des livraisons en juste-à-temps entre grandes firmes et PME est la plus développée. La forme la plus tendue est la livraison en flux synchrones : l'ordre de livraison est envoyé par télétransmission par l'usine de montage du constructeur au moment où chaque caisse de voiture identifiée par caméra entre dans l'atelier de montage. Le fournisseur dispose alors de quelques heures pour livrer dans l'ordre les produits correspondant à chaque voiture. Cette contrainte se traduit par la présence, notamment dans l'automobile et l'aéronautique, d'actifs spécifiques localisés. Dans l'automobile, les équipementiers, pour être en mesure de livrer en juste-à-temps, ont dû créer de nouveaux établissements proches des usines d'assemblage des constructeurs français [Adam-Ledunois et Renault, 2002].

Comme le produit n'est plus contrôlé à l'arrivée, il doit répondre totalement aux spécifications du client, ce qui implique la mise en place d'un autre dispositif de coordination au sein de la firme-réseau, dispositif fondé sur l'« assurance de la qualité ».

Concrètement, la firme doit décrire dans un recueil de documents le système qui lui permet d'obtenir et de garantir le niveau de qualité requis. Elle peut ensuite demander la certification de ce système, il s'agit d'une procédure qui atteste la conformité du système d'assurance-qualité d'une firme à la norme ISO 9001-2000.

Grâce à la certification, l'information sur le cocontractant est immédiatement disponible, ce qui améliore la fluidité du marché et diminue les coûts de coordination *ex ante*. Une firme cliente peut en effet immédiatement rentrer en relation avec un fournisseur certifié avec qui elle n'a jamais contracté. Une firme certifiée est de plus supposée fiable, ce qui allège les coûts *ex post*, autorise la mise en place de nouvelles formes de livraison, et concourt à l'efficience du réseau.

Des dispositifs d'incitation. — Ils sont indispensables pour que les firmes investissent dans des actifs spécifiques, source d'efficience, et que des comportements opportunistes ne se manifestent pas.

La répétition des relations entre la firme-pivot et les firmes membres du réseau est importante, dans la mesure où une des conditions de l'exécution (« *implementation* ») de ces « contrats de gouvernance », pour reprendre l'expression d'Holmström et Roberts [1998], est bien évidemment l'espérance de gains futurs, comparativement aux pertes issues d'un comportement opportuniste de court terme. C'est également la répétition qui va permettre les actifs spécifiques, source d'efficience.

La protection des actifs spécifiques est ensuite essentielle. La plupart des travaux sur les firmes-réseaux montrent que les contrats interfirmes garantissent contractuellement la valeur des actifs spécifiques, notamment physiques, principalement en octroyant au fournisseur une durée de contrat calquée sur la durée de ces actifs. C'est le cas dans les industries automobile et aéronautique : la durée du contrat est fixée pour permettre au fournisseur d'amortir l'ensemble des coûts liés à la fabrication d'un modèle. Les constructeurs ne retiennent, pour chaque composant ou ensemble fonctionnel d'une même voiture, qu'un seul équipementier, ou deux au maximum avec généralement dans ce cas un fournisseur pilote responsable de la conception à qui est attribué 60 % environ du marché. Si le fournisseur retenu donne satisfaction, il est en principe assuré de conserver le marché pendant la durée de vie du véhicule. C'est seulement lors du lancement du nouveau modèle qu'il sera remis en concurrence.

Enfin, les firmes membres du réseau ne doivent pas anticiper un hold-up de la part de la firme-pivot. Trois éléments préviennent ce risque. Premièrement, compte tenu de la présence de nombreux actifs spécifiques, il sera coûteux pour la firme-pivot de remplacer un membre du réseau. Deuxièmement, un comportement opportuniste « souillerait » la réputation de la firme-pivot et compromettrait sa capacité à conserver — et à attirer — des cocontractants performants. Troisièmement, les firmes membres du réseau doivent bénéficier d'un certain niveau d'assurance contre les risques, et la quasi-rente engendrée par les transactions intraréseau doit être équitablement répartie entre les firmes, pour que celles-ci puissent investir et ne soient pas incitées à quitter le réseau.

3. La firme-réseau, ou comment définir les frontières de la firme ?

La firme-réseau constitue un point d'étude privilégié pour mettre à l'épreuve la question des frontières de la firme : en effet, dans quelle mesure cette forme d'organisation modifie-t-elle la manière de définir les frontières de la firme ?

La thèse du continuum : l'ambiguïté de la théorie des coûts de transaction

Dans son article de 1991, Williamson distingue trois types d'arrangements institutionnels, le marché, la forme hybride et la hiérarchie, en mettant en parallèle leurs caractéristiques contractuelles, leurs avantages et leurs limites. La forme d'organisation hybride correspond pour lui au cas des relations interfirmes qui mettent en jeu des actifs spécifiques non négligeables. En ce sens, la firme-réseau « rentre » *a priori* dans cette catégorie intermédiaire.

Mais quel est pour cet auteur le véritable statut des relations interfirmes ?

Si la forme hybride permet à la fois de maintenir les incitations du marché et d'éviter les distorsions bureaucratiques, cette relation contractuelle est perturbée lorsque le degré de spécificité des actifs s'élève, car les risques liés aux comportements opportunistes entraînent une augmentation des coûts liés à l'adaptation du contrat.

Malgré cet effort de clarification par rapport à ses travaux antérieurs, la caractérisation des relations interfirmes par Williamson reste néanmoins contestable.

La première limite réside dans le fait que Williamson estime que cet arrangement institutionnel, instable *per se*, doit basculer vers la hiérarchie dès lors que le degré de spécificité des actifs s'élève. Or, cette représentation théorique ne correspond manifestement pas à ce que l'on constate sur un plan empirique. À l'évidence, les firmes arrivent à échapper au phénomène du hold-up et les coûts de coordination diminuent sous l'impact de l'intégration logistique et de la certification.

La deuxième limite provient de l'ambiguïté du statut de la firme hybride dans la théorie des coûts de transaction. D'une part, bien que Williamson, reprenant son analyse de 1991, indique dans deux articles récents [1999 et 2000] que la firme, le marché et la forme hybride sont des modes alternatifs de gouvernance qui diffèrent du point de vue de leurs attributs, la catégorie forme hybride reste floue. En effet, force est de reconnaître que les attributs en question sont identiques, et seul le degré (sous la forme de ++, + ou 0 affecté à chaque attribut) change [1991, p. 281]. D'autre part, et plus fondamentalement, l'intégration de la forme hybride au sein de la dichotomie marché-hiérarchie, qui constitue la problématique centrale de l'ouvrage de 1975, n'est pas sans conséquences sur l'économie générale de la théorie des coûts de transaction. Alors que, dans cet ouvrage, la hiérarchie se distingue nettement du marché, notamment par l'opposition entre la relation d'emploi et une relation commerciale, l'introduction de la forme hybride fait basculer en partie la problématique dans une logique contractuelle, les frontières de la firme se brouillant au profit d'un continuum marché-hiérarchie (*cf.* les différences de degré ci-dessus). Le terme même d'hybride pose problème, puisque son utilisation indique que, loin de constituer un arrangement institutionnel spécifique, cette forme emprunte à la fois au marché et à la hiérarchie, accréditant de ce fait la thèse du continuum contractuel [Hodgson, 2002].

Dans ces conditions, et pour conclure, l'ambiguïté de la TCT est patente ; en effet, *a priori* les frontières de la firme ont un impact sur les incitations à l'investissement et sur les comportements opportunistes. Or, la thèse du continuum, avec l'introduction de la forme hybride, contredit ce point de vue puisque la distinction entre ce qui se passe à l'intérieur de la firme et ce qui se passe à l'extérieur est difficile à faire et n'a, à la limite, pas de sens [Brousseau, 1997]. Pour la TCT, l'économie n'apparaît plus ainsi comme une articulation de marchés et de hiérarchies, mais plutôt comme un vaste réseau de contrats. Vue sous cet angle, la firme-réseau se situe en définitive le long du continuum, la distinction avec la firme au sens strict étant une affaire de degré et non de nature. On n'est alors pas très loin de la thèse de Jensen et Meckling sur la non-pertinence des frontières de la firme [1976].

La thèse de la « hiérarchie étendue »

Pour d'autres auteurs, la firme-réseau doit être considérée comme une « organisation intégrée » [Fréry, 1997]. Elle introduirait en effet une forme de hiérarchie explicite avec ce que cela suppose de supervision directe, de subordination, d'inégalité entre les partenaires et de centralisation des décisions stratégiques. Quels arguments justifient une telle position ? Le fondement de cette intégration ne serait pas à rechercher, par définition, par la propriété des actifs, mais par d'autres modes d'intégration qui se substitueraient à la propriété des actifs. Frédéric Fréry cite trois modes d'intégration, non exclusifs l'un de l'autre : (1) l'intégration culturelle, qui consiste à recourir à des partenaires solidaires entretenant des relations non exclusivement économiques avec la firme-pivot (exemples de Benetton et Virgin, firmes dans lesquelles les postes clés sont occupés par des amis et des parents du fondateur) ; (2) l'intégration médiatique, par la promotion d'une image de marque reconnue (exemple de la firme Nike, qui obtient la loyauté de ses sous-traitants asiatiques) ; (3) l'intégration logistique, grâce à la mise en place d'une infrastructure technologique permettant à la firme-pivot de contrôler à distance le comportement des firmes membres du réseau (exemples des firmes de la distribution comme Auchan, Ikea qui, par le biais des codes-barres et des saisies informatisées, maîtrisent leurs approvisionnements). Cette intégration logistique déboucherait même pour certains auteurs sur de véritables « hiérarchies électroniques » [Malone *et al.*, 1987] au sein desquelles la firme-pivot détiendrait un pouvoir sur ses fournisseurs, pouvoir comparable à celui qui serait obtenu par la propriété des actifs non humains des firmes membres du réseau.

En définitive, la firme-pivot maîtriserait et contrôlerait le réseau en opérant une triple fonction de conception — choisir les orientations stratégiques et les membres —, de coordination — minimiser les coûts de transaction —, et de contrôle.

Ce point de vue remet en cause la théorie des coûts de transaction et la théorie des contrats incomplets. En effet, pour ces deux théories, seule la propriété des actifs non humains confère du pouvoir. Ici, le processus d'intégration s'effectuerait indépendamment de la propriété de ces actifs.

Si cette analyse a le mérite d'introduire dans l'analyse des relations interfirmes des considérations liées au pouvoir et à la domination de certaines firmes sur d'autres, contrairement par exemple à la théorie des coûts de transaction pour laquelle il ne saurait exister de relation de pouvoir entre les firmes, elle nous semble néanmoins critiquable.

Certes, du pouvoir existe au sein de la firme-réseau, mais les mécanismes par lesquels il s'exerce sont relativement complexes. Plusieurs variables doivent être prises en compte : la concentration des flux d'échanges entre les firmes du réseau, l'importance des actifs spécifiques engagés, et la taille respective des contractants. De ce point de vue, plusieurs cas de figure sont possibles, allant d'un pouvoir fort d'une firme-pivot qui absorbe une partie importante du chiffre d'affaires d'une firme qui de surcroît a engagé des actifs spécifiques, jusqu'à des situations beaucoup plus équilibrées. Par ailleurs, il faut tenir compte de la nature dynamique du réseau. En effet, plus les firmes-pivots externalisent des activités et transfèrent des responsabilités aux firmes situées en amont, plus elles deviennent « dépendantes » des performances de ces firmes. En ce sens, la firme-pivot n'exerce pas un pouvoir unilatéral, ce dernier est contrebalancé par la spécialisation des membres du réseau en direction des actifs de la firme-pivot. Par exemple, dans l'industrie automobile, les fournisseurs de premier niveau ont réussi progressivement à contrebalancer le pouvoir des constructeurs, en obtenant des garanties contractuelles en échange des transferts de responsabilité

[Reinaud, 1999]. Des équipementiers comme Delphi ou Bosch sont capables de rivaliser avec des constructeurs comme Mitsubishi par le chiffre d'affaires [Chevallier, 2003]. Or, dans les années 1980, la situation était très différente, les firmes-pivots maîtrisaient les technologies externalisées et les actifs étaient beaucoup moins spécifiques. La dynamique du réseau aboutit ainsi à des situations de dépendance bilatérale non négligeables.

Indépendamment du fait que cette thèse surestime la capacité de la firme-pivot à imposer ses propres préférences, elle contribue, en assimilant les relations interfirmes aux relations intrafirme, à dissoudre en partie les frontières légales de la firme. La thèse du continuum est finalement réintroduite mais par un autre raisonnement que celui utilisé par la théorie des coûts de transaction. Or, d'une part les échanges interfirmes impliquent un transfert de droits de propriété, d'autre part, parler de relation d'autorité, de subordination ou encore de pouvoir de commandement à propos des relations interfirmes entretient la confusion avec la nature de l'autorité intrafirme [Hodgson, 2002]. Autrement dit, l'accent mis sur le pouvoir et sur le contrôle, s'il n'est pas à ignorer, ne doit pas aboutir à occulter les dimensions légales des relations intrafirme et interfirmes. Notamment, il est clair que le contrôle, inhérent à la relation d'autorité intrafirme d'un point de vue juridique, ne peut pas s'exercer de la même manière au sein de la firme et entre les firmes, et ce même si dans le contrat explicite interfirmes il existe des clauses de contrôle [Masten, 1991].

La thèse de la spécificité de la firme-réseau

Nous pensons que la firme-réseau organise, entre des firmes juridiquement indépendantes, la coordination d'activités complémentaires non similaires, c'est-à-dire des activités qui représentent différentes phases d'un processus de production et de distribution, et qui de plus exigent des compétences différentes. Deux éléments donnent ainsi toute sa spécificité à la firme-réseau.

Les firmes en position de fournisseurs ne sont en fait qu'une « articulation » dans un ensemble économique plus large. Ceci signifie que ces firmes, tout en étant juridiquement indépendantes, concourent à un même processus de fabrication ou de distribution avec la firme-pivot, mais leur activité relève de la sphère de la production, et non de la sphère de l'échange. Nous voulons par là souligner le fait que, dans ce type de relation, seul le produit livré à la clientèle finale par la firme-pivot est un produit collectif et est donc, substantiellement, une marchandise relevant de la sphère de l'échange proprement dite. Par exemple, dans le secteur automobile, seule l'automobile, produit collectif, a une valeur sur le marché, et non les composants qui ont servi à fabriquer l'automobile (c'est d'ailleurs pour cette raison que la gestion de la marque par la firme-pivot est une question clé). En effet, les pièces, les composants et les fonctions livrés à la firme-pivot ont un domaine de validité marchande extrêmement réduit puisqu'ils sont dédiés à un seul producteur, la firme-pivot, qui en a l'exclusivité. Si ce dernier refuse la pièce pour une raison quelconque, elle ne pourra trouver preneur sur le marché.

Comme les activités des firmes membres du réseau relèvent de la sphère de la production, l'impératif de coordination est dans ces conditions essentiel. Or, si le marché n'est pas une « structure de gouvernance » adéquate pour gérer la relation, les dispositifs d'incitation et de coordination ne peuvent pas être les mêmes que ceux qui prévalent à l'intérieur de la firme, puisque la relation met face à face des firmes juridiquement indépendantes. C'est pourquoi, au sein de la firme-réseau, il existe des mécanismes incitatifs et des dispositifs de coordination, comme l'intégration logistique, totalement spécifiques.

Compte tenu de cette pluralité de dispositifs, la firme-réseau constitue un terrain d'étude potentiellement riche pour tenter de combiner les théories contractuelles et les approches en termes de compétences.

Conclusion de la deuxième partie : De la firme fordiste à la firme post-fordiste

Ces transformations modifient bien en profondeur la firme fordiste des années 1960 et 1970.

En ce qui concerne les rapports de propriété, l'importance des marchés financiers et la montée en puissance des investisseurs institutionnels font rentrer la firme dans un modèle de gouvernance au sein duquel de nouvelles règles managériales s'imposent. L'actionnaire se trouve désormais placé au centre de ce modèle, alors que d'un point de vue normatif les fondements de sa domination ne sont pas démontrés. Il est ainsi possible d'envisager une autre conception de la gouvernance, dans laquelle l'intérêt de toutes les « parties prenantes » serait pleinement reconnu.

Les nouvelles règles de la relation d'emploi destructurent là encore le modèle antérieur, dans le sens d'une individualisation des rémunérations et d'une décentralisation des négociations. Là où la logique collective et institutionnelle s'imposait, on a maintenant le sentiment que c'est une logique contractuelle qui est à l'œuvre. On peut néanmoins avoir des doutes sur la capacité de ces nouvelles règles à susciter l'adhésion des salariés ; au contraire, nous pensons qu'elles sont porteuses d'effets pervers car elles remettent en cause les propriétés de stabilité et d'équité qui caractérisaient les règles, de nature plus coopérative, de la firme fordiste.

Enfin, la firme-réseau tend à se substituer à la firme intégrée verticalement. On observera néanmoins que la tendance à la désintégration des firmes ne signifie pas un basculement vers les seuls mécanismes du marché. Les dispositifs à l'œuvre au sein de la firme-réseau constituent en effet un ensemble complexe qui combine logique d'incitation et logique d'apprentissage.

Au total, la firme fordiste intégrée, institutionnalisée au niveau de ses règles de fonctionnement interne, et dépendante des institutions financières et de l'État, laisse progressivement la place — en tendance — à une firme-réseau dépendante des marchés financiers et relevant d'une logique contractuelle en interne. On peut dans ces conditions véritablement parler de l'émergence et du développement de la firme post-fordiste.

Conclusion générale : Retour sur les enjeux des théories de la firme

Les théories de la firme, actuelles et futures, sont selon nous confrontées à trois enjeux.

Le premier a trait à la nature de la firme. De ce point de vue, les trois approches de la firme ne sont pas « neutres ». Qualifier la firme de nœud de contrats, de panier de compétences ou de hiérarchie n'est pas en effet sans conséquences sur les représentations des acteurs, et donc finalement sur leurs pratiques. Nous avons vu ainsi comment les conceptions théoriques orientent le débat sur la gouvernance. De même, postuler l'égalité des parties en présentant la firme comme des individus reliés par des contrats ou au contraire contester cette égalité en définissant la firme comme une hiérarchie fondée sur des droits de propriété n'a pas les mêmes implications : à quoi bon accorder un traitement spécial au rapport employeur-employé, par l'intermédiaire du droit du travail, si cette relation est supposée équilibrée contractuellement ? Pourquoi avoir recours à des règles collectives pour gérer le contrat de travail bilatéral conclu entre l'employeur et l'employé ?

La question de l'efficacité des formes organisationnelles constitue le deuxième enjeu. Force est ici de constater la difficulté pour les théories de la firme à expliquer de manière convaincante les changements de périmètre de la firme dans le temps, que ce soit vers plus d'intégration ou en direction du marché et/ou des formes dites hybrides comme la firme-réseau. Les analyses en termes de coût de transaction et d'asymétries informationnelles se heurtent notamment à la difficulté d'identifier et de mesurer les coûts liés aux défaillances du marché. Rien ne permet par exemple d'affirmer que la firme-réseau constitue « par définition » une forme d'organisation supérieure au marché et à la firme intégrée. La prise en compte de la stratégie des firmes et de l'environnement est nécessaire pour comprendre l'évolution des firmes. La question des « frontières de la firme » reste ainsi totalement ouverte.

Le dernier enjeu concerne la capacité des théories à rendre compte des évolutions empiriques.

Les théories contractuelles proposent des outils pertinents pour étudier de nombreux faits. Les relations actionnaire-dirigeant, employeur-employé et client-fournisseur étant des relations d'agence, une analyse en termes de contrat, même si cette perspective est réductrice donc insuffisante, s'avère utile. Ces trois relations contiennent bien de nombreux dispositifs incitatifs dont l'objectif est d'orienter l'action des cocontractants.

L'approche par les compétences est concomitante de la place croissante prise par la connaissance dans les économies actuelles. Alors que le capital physique constituait la ressource principale des firmes durant la période fordiste, c'est aujourd'hui le capital humain qui se trouve au fondement des performances des firmes et de leur compétitivité. Cette approche éclaire ainsi aussi bien les stratégies externes des firmes (quasi-intégration oblique) que l'accent mis en interne sur les compétences des salariés.

Enfin, l'analyse en termes de hiérarchie et d'autorité propose une grille de lecture qui explique comment les firmes tentent d'agir sur le comportement des salariés. L'évolution des formes d'autorité et des dispositifs d'incitation est ainsi significative de la volonté des employeurs de combiner autonomie dans l'exercice de leur travail et incitation par des modalités de rémunération plus axées sur l'individu et moins sur le poste.

Repères bibliographiques

ADAM-LEDUNOIS, S. et RENAULT, S. (2002), « Les parcs fournisseurs : entre marché et hiérarchie », dans M. Saboly et L. Cailluet (dir.), *Marché et hiérarchie*, collection *Histoire, gestion, organisation*, n° 10, p. 359-370.

AKERLOF, G. (1982), « Labor Contracts as Partial Gift Exchange », *Quarterly Journal of Economics*, vol. 92, n° 4, p. 543-569.

ALCHIAN, A. et DEMSETZ, H. (1972), « Production, Information Costs, and Economic Organization », *American Economic Review*, décembre, p. 777-795.

ALCOUFFE, C. (2002), « L'organisation de la R&D entre marché et hiérarchie. Évolutions de la relation client-fournisseur et formes de coopération dans l'aéronautique et le spatial », dans M. Saboly et L. Cailluet (dir.), *Marché et Hiérarchie*, collection *Histoire, gestion, organisation*, n° 10, p. 275-288.

AOKI, M. (1984), *The Cooperative Game Theory of the Firm*, Oxford University Press.

ARÉNA, R. et LAZARIC, N. (2003), « La théorie évolutionniste du changement économique de Nelson et Winter », *Revue économique*, vol. 54, n° 2, p. 329-354.

ARROW, K. (1974), *The Limits of Organizations*, New York, Norton (trad. française, Paris, PUF, 1976).

AZOULAY, N. et WEINSTEIN, O. (2000), « Les compétences de la firme », *Revue d'économie industrielle*, n° 93, p. 117-154.

BANCEL, F. (1997), *La Gouvernance des entreprises*, Paris, Economica, coll. « Gestion poche », Paris.

BARNEY, J. (2001), « Is the Resource-Based View a Useful Perspective for Strategic Management Research ? Yes », *Academy of Management Journal*, vol. 26, n° 1, p. 41-56.

BATSCH, L. (2002), *Le Capitalisme financier*, Paris, La Découverte, coll. « Repères ».

BAUDRY, B. (1995), *L'Économie des relations interentreprises*, Paris, La Découverte, coll. « Repères ».

— (1998), « Le contrôle dans la relation d'emploi : approches économiques et organisationnelles du concept d'autonomie contrôlée », *Économie appliquée*, tome LI, n° 3, p. 77-104.

— (1999), « L'apport de la théorie des organisations à la conception néo-institutionnelle de la firme : une relecture des travaux de O.E. Williamson », *Revue économique*, vol. 50, n° 1, janvier, p. 45-69.

BAUDRY, B. et TINEL, B. (2003), « Une analyse théorique des fondements et du fonctionnement de la relation d'autorité intrafirme », *Revue économique*, vol. 54, n° 2, mars, p. 229-251.

BERLE, A. et MEANS, G. (1932), *The Modern Corporation and Private Property*, New York, Harcourt, Brace and World.

BLAIR, M. (1995), *Ownership and Control : Rethinking Corporate Governance for the Twenty-First Century*, Washington DC, Brookings.

BOYER, R. et DURAND, J.-P. (1993), *L'Après-fordisme*, Paris, Syros.

BROUSSEAU, E. (1997), « Théories des contrats, coordination interentreprises et frontières de la firme », dans P. Garrouste (dir.), *Les Frontières de la firme*, Paris, Economica, p. 29-60.

— (1999), « Néo-institutionnalisme et évolutionnisme : quelles convergences ? *Économie et sociétés*, HS, n° 1, p. 189-215.

BROUSSEAU, E. et GLACHANT, J.-M. (2000), « Économie des contrats et renouvellement de l'analyse économique », *Revue d'économie industrielle*, n° 92, 2e et 3e trimestres, p. 23-50.

CAHUC, P. (1998), *La Nouvelle Microéconomie*, Paris, La Découverte, coll. « Repères » (nouvelle édition).

CHARLETY, P. (1994), « Les développements récents de la littérature », *Revue d'économie financière*, n° 31, hiver, p. 33-48.

CHARREAUX, G. (2002), « Variation sur le thème : à la recherche de nouvelles fondations pour la finance et la gouvernance d'entreprise », *Finance contrôle stratégie*, vol. 5, n° 3, p. 5-68.

CHEVALLIER, M. (2003), « À la recherche du cœur de métier », *Alternatives économiques*, n° 210, janvier, p. 56-60.

COASE, R. (1987), « La nature de la firme » (1937), *Revue française d'économie*, vol. II/1, p. 133-163.

CŒURDEROY, R. et QUELIN, B. (1997), « L'économie des coûts de transaction : un bilan des études empiriques sur l'intégration verticale », *Revue d'économie politique*, vol. 107, n° 2, p. 145-181.

COHENDET, P. et LLERENA, P. (1999), « La conception de la firme comme processeur de connaissances », *Revue d'économie industrielle*, n° 88, 2e trimestre, p. 211-236.

CONNER, K. et PRAHALAD, C.K. (1996), « A Resource-based Theory of the Firm : Knowledge versus Opportunism », *Organization Science*, vol. 5, p. 477-501.

CORIAT, B. et WEINSTEIN, O. (1995), *Les Nouvelles Théories de l'entreprise*, Paris, Le Livre de poche.

COUTROT, T. (2002), *Critique de l'organisation du travail*, Paris, La Découverte, coll. « Repères ».

DOCKÈS, P. (1999), *Pouvoir et autorité en économie*, Paris, Economica.

DOERINGER, P. et PIORE, M. (1971), *Internal Labour Markets and Manpower Analysis*, D.C. Heath Massachusetts, Lexington Mass.

DOSI, G., TEECE, D. et WINTER, S. (1990), « Les frontières des entreprises : vers une théorie de la cohérence de la grande entreprise », *Revue d'économie industrielle*, n° 51, 1er trimestre, p. 238-254.

DUBRION, B. (2003), « Les effets des dispositifs de gestion des salariés sur l'organisation interne de la firme : une interprétation coasienne », *Économie appliquée*, vol. 56, n° 1, p. 125-152.

DURAND, R. (2000), *Entreprise et évolution économique*, Paris, Belin.

EDWARDS, R. (1986), « From Contested Terrain », dans L. Putterman (dir.), *The Economic Nature of the Firm, a Reader*, Cambridge University Press, p. 279-291.

FARES, M. et SAUSSIER, S. (2002), « Coûts de transaction et contrats incomplets », *Revue française d'économie*, n° 3, vol. XVI, p. 193-230.

FAVEREAU, O. (1989), « Marchés internes, marchés externes », *Revue économique*, n° 2, mars, p. 273-328.

— (1994), « Règle, organisation et apprentissage collectif : un paradigme non standard pour trois théories hétérodoxes », dans A. Orléan (dir.), *Analyse économique des conventions*, Paris, PUF, p. 113-137.

— (2002), « Une influence limitée sur les économistes », *Revue française de gestion*, vol. 28, n° 139, juillet-août, p. 203-211.

FIGART, D. (2000), « Equal Pay for Equal Work : The Role of Job Evaluation in an Evolving Social Norm », *Journal of Economic Issues*, vol. XXXIV, n° 1, mars, p. 1-19.

FORAY, D. (1997), « Code informationnel, échanges électroniques de données et nouveaux dispositifs collectifs de coordination : une analyse économique du phénomène d'intégration électronique », dans P. Garrouste (dir.), *Les Frontières de la firme*, Paris, Economica, p. 153-175.

— (2000), *Économie de la connaissance*, Paris, La Découverte, coll. « Repères ».

FOSS, N. (1999), « The Use of Knowledge in Firms », *Journal of Institutional and Theoretical Economics*, vol. 155, n° 3, p. 458-486.

FRÉRY, F. (1997), « La chaîne et le réseau », dans P. Besson (dir.), *Dedans, Dehors*, Paris, Vuibert, coll. « Entreprendre », p. 23-52.

— (1998), « Les réseaux d'entreprise : une approche transactionnelle », dans H. Laroche (dir.), *Repenser la stratégie*, Paris, Vuibert, coll. « Entreprendre », p. 61-84.

GABRIÉ, H. (2001), « La théorie williamsonienne de l'intégration verticale n'est pas vérifiée empiriquement », *Revue économique*, vol. 52, n° 5, septembre, p. 1013-1039.

GABRIÉ, H. et JACQUIER, J.-L. (1994), *La Théorie moderne de l'entreprise*, Paris, Economica.

GAZIER, B. (1991), *Économie du travail et de l'emploi*, Paris, Précis Dalloz.

GOMEZ, P.Y., (1996), *Le Gouvernement de l'entreprise*, Paris, Interéditions.

GORGEU, A. et MATHIEU, R. (2000), « Les PME dans la filière automobile : leur place et leur mode de gestion de la main-d'œuvre », *Cahiers du Centre d'études de l'emploi*, 38, p. 363-385.

GOSHAL, S. et MORAN, P. (1996), « Bad for Practice : A Critique of the Transaction Cost Theory », *Academy of Management Journal*, vol. 21, n° 1, p. 13-47.

GROSSMAN, S. et HART, O. (1986), « The Costs and Benefits of Ownership : A Theory of Vertical and Lateral Integration », *Journal of Political Economy*, vol. 94, n° 4, p. 691-719.

HART, O. (1990), « An Economist's Perspective on the Theory of the Firm », dans O. Williamson (dir.), *Organization and Theory : From Chester Barnard to the Present and Beyond*, Oxford University Press, p. 154-171.

— (1995), *Firms, Contracts, and Financial Structure*, Oxford University Press, Clarendon Lectures in Economics.

HART, O. et MOORE, J. (1990), « Property Rights and the Nature of the Firm », *Journal of Political Economy*, vol. 98, n° 6, p. 1119-1158.

HODGSON, G. (1998), « Competences and Contract in the Theory of the Firm », *Journal of Economic Behavior and Organization*, vol. 35, p. 179-201.

— (2002), « The Legal Nature of the Firm and the Myth of the Firm-market Hybrid », *International Journal of the Economics of Business*, vol. 9, n° 1, p. 37-60.

HOLMSTRÖM, B. (1999), « The Firm as a Subeconomy », *Journal of Law, Economics and Organization*, vol. 19, n° 1, p. 74-102.

HOLMSTRÖM, B. et MILGROM, P. (1994), « The Firm as an Incentive System », *American Economic Review*, vol. 84, n° 4, p. 972-991.

HOLMSTRÖM, B. et ROBERTS, J. (1998), « The Boundaries of the Firm Revisited », *Journal of Economic Perspectives*, vol. 12, n° 4, p. 73-94.

HOUSSIAUX, J. (1957), « Le concept de quasi-intégration et le rôle des sous-traitants de l'industrie », *Revue économique*, mars, p. 221-247.

JEAMMAUD, A., LE FRIANT, M. et LYON-CAEN, A. (1998), « L'ordonnancement des relations du travail », *Recueil Dalloz*, chron. 359.

Jeffers, E. et Magnier, V. (2002), « Le gouvernement d'entreprise et les FIE au niveau international », *Notes et études documentaires*, n° 5146, janvier, p. 55-66.

Jeffers, E. et Plihon, D. (2001), « Investisseurs institutionnels et gouvernance des entreprises », *Revue d'économie financière*, n° 63, p. 137-152.

— (2002), « Importance et diversité des investisseurs institutionnels », *Notes et études documentaires*, n° 5146, janvier, p. 17-28.

Jensen, M. et Meckling, W. (1976), « Theory of the Firm : Managerial Behavior, Agency Cost, and Ownership Structure », *Journal of Financial Economics*, 3, p. 305-360.

Klein, B., Crawford, R. et Alchian, A. (1978), « Vertical Integration, Appropriable Rents, and the Competitive Contracting Process », *Journal of Law and Economics*, vol. 21, p. 297-326.

Larré, F. (1997), « Restructuration et mise en réseau de la sous-traitance : analyse d'un processus de rationalisation systémique », LIRHE, note 242.

Lazear, E. (1995), *Personnel Economics*, MIT.

Lebas, C. (2003), « La théorie évolutionniste de la firme ; état des lieux raisonné et implications pour l'analyse stratégique », WP, centre Walras, université Lyon 2.

Le Bihan-Guenolé, M. (2001), *Droit du travail*, Paris, Hachette, coll. « Les fondamentaux ».

Leclercq, E. (1999), *Les Théories du marché du travail*, Paris, Seuil, coll. « Points ».

Leibenstein, H. (1982), « The Prisoners'Dilemma in the Invisible Hand : an Analysis of Intrafirm Productivity », *American Economic Review*, vol. 72, p. 92-97.

Le Joly, K. et Moingeon, B. (2001), « Corporate Governance ou Gouvernement d'entreprise ? » dans K. Le Joly et B. Moingeon (dir.), *Gouvernement d'entreprise : débats théoriques et pratiques*, Paris, Ellipses, p. 12-33.

Magnier, V. (2002), « L'évolution du gouvernement d'entreprise en France », *Notes et études documentaires*, n° 5146, janvier, p. 67-76.

Malone, T., Yates, J. et Benjamin, R. (1987), *Electronic Markets and Electronic Hierarchies : Effects of New Information Technologies on Market Structures and Corporate Strategies*, Communication of the ACM, juin.

Mariotti, F., Reverdy, T. et Segrestin, D. (2001), *Du gouvernement d'entreprise au gouvernement de réseau*, Rapport final au Commissariat général au Plan, CRISTO, université Grenoble-2, avril.

Masten, S. (1991), « A Legal Basis for the Firm », dans O. Williamson and S. Winter (dir.), *The Nature of the Firm ; Origins, Evolution and Development*, Oxford University Press, p. 196-212.

Ménard, C. (1990), *L'Économie des organisations*, Paris, La Découverte, coll. « Repères ».

— (1994), « Comportement rationnel et coopération : le dilemme organisationnel », *Cahiers d'économie politique*, n° 24-25, p. 185-207.

Milgrom, P. et Roberts, J. (1992), *Economics, Organization and Management*, Prentice Hall International Editions (trad. française, Presses universitaires de Grenoble et De Boeck, 1997).

Montagne, S et Sauviat, C. (2001), « L'influence des marchés financiers sur les politiques sociales des entreprises : le cas français », *Travail et emploi*, n° 87, p. 111-126.

Morin, F. et Rigamonti, E. (2002), « Évolution et structure de l'actionnariat en France », *Revue française de gestion*, vol. 28, n° 41.

Mottis, N. et Ponssard, J.-P. (2002), « L'impact des FIE sur le pilotage de l'entreprise », *Notes et études documentaires*, n° 5146, janvier, p. 125-146.

Nelson, R. et Winter, S. (1982), *An Evolutionary Theory of Economic Change*, Cambridge,

Pérez, R. (2003), *La Gouvernance de l'entreprise*, Paris, La Découverte, coll. « Repères ».

Plihon, D. (2003), *Le Nouveau Capitalisme*, Paris, La Découverte, coll. « Repères ».

Prahalad, C.K. et Hamel, G. (1990), « The Core Competence of the Corporation », *Harvard Business Review*, vol. 3, p. 79-91.

Prendergast, C. (1999), « The Provision of Incentives in Firms », *Journal of Economic Literature*, vol. 37, p. 7-63.

Rebérioux, A. (2002), *Gouvernance d'entreprise et théorie de la firme ; de la valeur actionnariale à la citoyenneté industrielle*, thèse d'économie, université Paris-X-Nanterre.

Reinaud, G. (1999), « L'automobile désintégrée », *Problèmes économiques*, n° 2603, 10 février, p. 29-32.

Reynaud, B. (1992), *Le Salaire, la règle et le marché*, Paris, Christian Bourgois.

— (1994), *Les Théories du salaire*, Paris, La Découverte, coll. « Repères ».

Reynaud, J.-D. (2001), « Le management par les compétences : un essai d'analyse », *Sociologie du travail*, n° 1, vol. 43, janvier-mars.

Richardson, G. (1972), « The Organization of Industry », *Economic Journal*, n° 82, p. 883-896.

Robé, J. P. (1999), *L'Entreprise et le droit*, Paris, PUF, coll. « Que sais-je ? » n° 3442.

Rubinstein, M. (2002), « Le débat sur le gouvernement d'entreprise en France : un état des lieux », *Revue d'économie industrielle*, n° 98, p. 7-28.

Salais, R. (1989), « L'analyse économique des conventions du travail », *Revue économique*, vol. 40, n° 2, mars, p. 199-240.

Saussois, J.-M. (1997), « L'entreprise à l'épreuve du dedans et du dehors », dans P. Besson (dir.),

Dedans, Dehors, Paris, Vuibert, p. 3-22.

SHLEIFER, A. et VISHNY, R. (1997), « A Survey of Corporate Governance », *The Journal of Finance*, vol. 52, p. 737-783.

SIMON, H. (1951) « A Formal Theory of the Employment Relationship », *Econometrica*, 19 (3), p. 293-305.

— (1991), « Organizations and Markets », *Journal of Economic Perspectives*, vol. 5, n° 2, printemps, p. 25-44.

STANKIEWICZ, F. (1999), *Économie des ressources humaines*, Paris, La Découverte, coll. « Repères ».

TORRÈS-BLAY, O. (2000), *Économie d'entreprise*, Paris, Economica.

TYWONIAK, S. (1998), « Le modèle des ressources et des compétences : un nouveau paradigme pour le management stratégique ? » dans H. Laroche et J.-P. Nioche (dir.), *Repenser la stratégie*, Paris, Vuibert, coll. « Entreprendre », p. 166-204.

WERNERFELT, B. (1995), « A Resource-based View of the Firm », *Strategic Management Journal*, vol. 5, p. 171-180.

WHINSTON, M. (2001), « Assessing the Property Rights and Transaction-cost Theories of Firm Scope », *American Economic Review*, mai, p. 184-188.

WILLIAMSON, O. (1975), *Markets and Hierarchies : Analysis and Antitrust Implications*, New York, Free Press.

— (1985), *The Economic Institutions of Capitalism*, New York, Free Press.

— (1991), « Comparative Economic Organization : The Analysis of Discrete Alternative », *Administrative Science Quarterly*, vol. 36, p. 269-296.

— (1999), « Strategy Research : Governance and Competence Perspectives », *Strategic Management Journal*, vol. 20, p. 1087-1108.

— (2000), « The New Institutional Economics : Taking Stock, Looking Ahead », *Journal of Economic Literature*, vol. XXXVIII, septembre, p. 595-613.

Table

Introduction 3

PREMIÈRE PARTIE
LES ANALYSES THÉORIQUES DE LA FIRME :
CONTRAT, COMPÉTENCES ET HIÉRARCHIE

I / Les approches contractuelles de la firme 8
1. La firme comme structure de gouvernance (« governance structure ») *: la théorie des coûts de transaction (TCT)* 8
Les hypothèses comportementales 9
La nature des transactions : la spécificité des actifs 9
Une analyse comparative des structures de gouvernance 11
Appréciation de la TCT 13
2. La firme comme « nœud de contrats » : relation d'agence et théorie des incitations (TI) 14
La production en équipe et la firme capitaliste classique 15
La théorie des incitations : la firme comme nœud de contrats incitatifs 17
Une tentative de synthèse : la firme comme « système incitatif » 20
Bilan critique 22

3. La firme comme « collection d'actifs non humains » : la théorie des contrats incomplets (TCI) 23
Contrats incomplets et intégration verticale 23
Appréciation de la TCI 25
4. Divergence et unité de l'approche contractuelle 26

II / Les approches de la firme par les « compétences » . 28
1. Les oppositions entre approches contractuelles et approches par les compétences 29
Rationalité substantive *versus* rationalité limitée 29
Allocation des ressources *versus* création de ressources 30
Efficience statique *versus* efficience dynamique 30
Information *versus* connaissance 31
2. Nature et frontières de la firme : apprentissage, compétence et évolution 32
La firme : un lieu d'apprentissage 32
La firme : un « panier de compétences » 34
L'évolution de la firme 37
3. Une appréciation des approches par les « compétences » 38

III / La firme : une hiérarchie et un lieu de coopération . 40
1. La firme : une organisation hiérarchique 40
Les théories contractuelles : la subordination volontaire du salarié 41
Les fondements de la hiérarchie et de l'autorité 42
Les fondements économiques, 42. – Les fondements juridiques de l'autorité, 43.
2. Intérêt et limites de la relation d'autorité 44
Intérêt économique de l'autorité 44
Les limites de la relation d'autorité 48
3. La coopération dans la firme 50
Coopération, marchés internes du travail et équité 51
Définition d'un marché interne du travail, 51. – Les marchés internes : une relation de long terme et équitable, 53. – Coopération et équité, 54.
Hiérarchie et coopération : l'ambivalence de la firme .. 55
Conclusion de la première partie : Diversité et complémentarité des théories de la firme 56

DEUXIÈME PARTIE
LES TRANSFORMATIONS DE LA FIRME :
GOUVERNANCE, RÈGLES D'EMPLOI ET FRONTIÈRES

IV / Gouvernance et objectifs de la firme : de nouveaux rapports de propriété et de pouvoir 59

1. La firme entrepreneuriale et la firme managériale : deux modes de propriété et de pouvoir 60

La firme entrepreneuriale et ses limites 60

La firme managériale : le conflit actionnaires-managers 61

La divergence d'objectifs entre les actionnaires et les managers, 61. – Les mécanismes de résolution du conflit actionnaires-managers, 63.

2. Diversité et évolution des modèles de gouvernance des firmes 65

Approche macroéconomique : deux modèles de gouvernance 65

L'évolution du modèle français de gouvernance : le modèle du marché financier ? 67

3. Les objectifs de la firme : quels intérêts la firme doit-elle servir ? 69

Les fondements incertains de la primauté des actionnaires : à qui appartient la firme ? 70

Une approche « partenariale » de la gouvernance 72

Une conception élargie de la responsabilité de la firme : la « *stakeholder theory* » 73

4. Les enjeux de la gouvernance : performances économiques et convergence des systèmes 74

V / La relation d'emploi : de la norme fordiste à de nouvelles règles 76

1. La déstabilisation progressive de la relation d'emploi fordiste 76

Le modèle d'emploi des trente glorieuses : poste de travail et marchés internes 76

Les règles d'allocation de la main-d'œuvre : la logique de poste, 76. – Les règles de rémunération : fixation et évolution, 79.

La remise en cause de la relation d'emploi fordiste 80

2. De nouvelles formes et règles d'emploi 81
Stratégies des firmes et nouvelles formes d'emploi 81
Flexibilité externe et extériorisation organisationnelle, 82. – Flexibilité et contrats atypiques, 82.
De nouvelles règles d'allocation et de rémunération 84
Les règles d'allocation : de la logique de poste à la logique de compétence, 84. – Les règles de rémunération : individualisation et négociation décentralisée, 88.
3. Cohérence et limites des nouvelles règles de la relation d'emploi 91

VI / Les frontières de la firme : de la firme intégrée à la « firme-réseau » 94
1. La répartition des activités entre marché, firme et relations interfirmes 95
Entre le marché et la hiérarchie : la coopération interfirmes 95
Deux types de relations interfirmes 96
2. Les stratégies d'externalisation : recentrage sur le « métier » et émergence de la « firme-réseau » .. 97
De la firme fordiste intégrée et diversifiée à la firme recentrée 97
De nouvelles modalités de coordination interfirmes : la firme-réseau 99
Les limites du modèle de la quasi-intégration verticale, 99. – Quasi-intégration oblique et firme-réseau, 101.
3. La « firme-réseau », ou comment définir les frontières de la firme ? 105
La thèse du continuum : l'ambiguïté de la théorie des coûts de transaction 105
La thèse de la « hiérarchie étendue » 107
La thèse de la spécificité de la firme-réseau 109
Conclusion de la deuxième partie : De la firme fordiste à la firme post-fordiste 110

Conclusion générale : Retour sur les enjeux des théories de la firme 112

Repères bibliographiques 114

Collection

R E P È R E S

dirigée par
JEAN-PAUL PIRIOU

avec BERNARD COLASSE, PASCAL COMBEMALE, FRANÇOISE DREYFUS, HERVÉ HAMON, DOMINIQUE MERLLIÉ, CHRISTOPHE PROCHASSON *et* MICHEL RAINELLI

Affaire Dreyfus (L'), n° 141, Vincent Duclert.
Aménagement du territoire (L'), n° 176, Nicole de Montricher.
Analyse financière de l'entreprise (L'), n° 153, Bernard Colasse.
Archives (Les), n° 324, Sophie Cœuré et Vincent Duclert.
Argumentation dans la communication (L'), n° 204, Philippe Breton.
Balance des paiements (La), n° 359, Marc Raffinot, Baptiste Venet.
Bibliothèques (Les), n° 247, Anne-Marie Bertrand.
Bourse (La), n° 317, Daniel Goyeau et Amine Tarazi.
Budget de l'État (Le), n° 33, Maurice Baslé.
Calcul des coûts dans les organisations (Le), n° 181, Pierre Mévellec.
Calcul économique (Le), n° 89, Bernard Walliser.
Capitalisme financier (Le), n° 356, Laurent Batsch.
Capitalisme historique (Le), n° 29, Immanuel Wallerstein.
Catégories socioprofessionnelles (Les), n° 62, Alain Desrosières et Laurent Thévenot.
Catholiques en France depuis 1815 (Les), n° 219, Denis Pelletier.
Chômage (Le), n° 22, Jacques Freyssinet.
Chronologie de la France au XXe siècle, n° 286, Catherine Fhima.
Collectivités locales (Les), n° 242, Jacques Hardy.
Commerce international (Le), n° 65, Michel Rainelli.
Comptabilité anglo-saxonne (La), n° 201, Peter Walton.
Comptabilité en perspective (La), n° 119, Michel Capron.
Comptabilité nationale (La), n° 57, Jean-Paul Piriou.
Concurrence imparfaite (La), n° 146, Jean Gabszewicz.
Conditions de travail (Les), n° 301, Michel Gollac et Serge Volkoff.
Consommation des Français (La) :
1. n° 279 ; **2.** n° 280, Nicolas Herpin et Daniel Verger.
Constitutions françaises (Les), n° 184, Olivier Le Cour Grandmaison.
Contrôle budgétaire (Le), n° 340, Nicolas Berland.
Construction européenne (La), n° 326, Guillaume Courty et Guillaume Devin.
Contrôle de gestion (Le), n° 227, Alain Burlaud, Claude J. Simon.
Coût du travail et emploi, n° 241, Jérôme Gautié.
Critique de l'organisation du travail, n° 270, Thomas Coutrot.
Culture de masse en France (La) :
1. 1860-1930, n° 323, Dominique Kalifa.
Démocratisation de l'enseignement (La), n° 345, Pierre Merle.
Démographie (La), n° 105, Jacques Vallin.
Développement économique de l'Asie orientale (Le), n° 172, Éric Bouteiller et Michel Fouquin.
DOM-TOM (Les), n° 151, Gérard Belorgey et Geneviève Bertrand.
Droits de l'homme (Les), n° 333, Danièle Lochak.
Droit du travail (Le), n° 230, Michèle Bonnechère.
Droit international humanitaire (Le), n° 196, Patricia Buirette.
Droit pénal, n° 225, Cécile Barberger.
Économie bancaire, n° 268, Laurence Scialom.
Économie britannique depuis 1945 (L'), n° 111, Véronique Riches.
Économie de l'Afrique (L'), n° 117, Philippe Hugon.
Économie chinoise (L'), n° 378, Françoise Lemoine.
Économie de l'environnement, n° 252, Pierre Bontems et Gilles Rotillon.
Économie de l'euro, n° 336, Agnès Benassy-Quéré et Benoît Cœuré.
Économie française 2003 (L'), n° 357, OFCE.
Économie de l'innovation, n° 259, Dominique Guellec.
Économie de la connaissance (L'), n° 302, Dominique Foray.
Économie de la culture (L'), n° 192, Françoise Benhamou.
Économie de la drogue (L'), n° 213, Pierre Kopp.
Économie de la presse, n° 283, Patrick Le Floch et Nathalie Sonnac.
Économie de la réglementation (L'), n° 238, François Lévêque.
Économie de la RFA (L'), n° 77, Magali Demotes-Mainard.
Économie des États-Unis (L'), n° 341, Hélène Baudchon et Monique Fouet.
Économie des fusions et acquisitions, n° 362, Nathalie Coutinet et Dominique Sagot-Duvauroux.
Économie des inégalités (L'), n° 216, Thomas Piketty.
Économie des organisations (L'), n° 86, Claude Menard.
Économie des relations interentreprises (L'), n° 165, Bernard Baudry.
Économie des réseaux, n° 293, Nicolas Curien.
Économie des ressources humaines, n° 271, François Stankiewicz.
Économie du droit, n° 261, Thierry Kirat.
Économie du Japon (L'), n° 235, Évelyne Dourille-Feer.
Économie du sport (L'), n° 309, Jean-François Bourg et Jean-Jacques Gouguet.
Économie et écologie, n° 158, Frank-Dominique Vivien.

Économie marxiste du capitalisme, n° 349, Gérard Duménil et Dominique Lévy.
Économie mondiale 2004 (L'), n° 371, CEPII.
Économie sociale (L'), n° 148, Claude Vienney.
Emploi en France (L'), n° 68, Dominique Gambier et Michel Vernières.
Employés (Les), n° 142, Alain Chenu.
Ergonomie (L'), n° 43, Maurice de Montmollin.
Éthique dans les entreprises (L'), n° 263, Samuel Mercier.
Éthique économique et sociale, n° 300, Christian Arnsperger et Philippe Van Parijs.
Étudiants (Les), n° 195, Olivier Galland et Marco Oberti.
Évaluation des politiques publiques (L'), n° 329, Bernard Perret.
FMI (Le), n° 133, Patrick Lenain.
Fonction publique (La), n° 189, Luc Rouban.
Formation professionnelle continue (La), n° 28, Claude Dubar.
France face à la mondialisation (La), n° 248, Anton Brender.
Front populaire (Le), n° 342, Frédéric Monier.
Gouvernance de l'entreprise (La), n° 358, Roland Perez.
Grandes économies européennes (Les), n° 256, Jacques Mazier.
Guerre froide (La), n° 351, Stanislas Jeannesson.
Histoire de l'administration, n° 177, Yves Thomas.
Histoire de l'Algérie coloniale, 1830-1954, n° 102, Benjamin Stora.
Histoire de l'Algérie depuis l'indépendance,
1. **1962-1988**, n° 316, Benjamin Stora.
Histoire de l'Europe monétaire, n° 250, Jean-Pierre Patat.
Histoire du féminisme, n° 338, Michèle Riot-Sarcey.
Histoire de l'immigration, n° 327, Marie-Claude Blanc-Chaléard.
Histoire de l'URSS, n° 150, Sabine Dullin.
Histoire de la guerre d'Algérie, 1954-1962, n° 115, Benjamin Stora.
Histoire de la philosophie, n° 95, Christian Ruby.
Histoire de la société de l'information, n° 312, Armand Mattelart.
Histoire de la sociologie :
1. **Avant 1918**, n° 109,
2. **Depuis 1918**, n° 110, Charles-Henry Cuin et François Gresle.
Histoire des États-Unis depuis 1945 (L'), n° 104, Jacques Portes.
Histoire des idées politiques en France au XIXe siècle, n° 243, Jérôme Grondeux.
Histoire des idées socialistes, n° 223, Noëlline Castagnez.
Histoire des théories de l'argumentation, n° 292, Philippe Breton et Gilles Gauthier.
Histoire des théories de la communication, n° 174, Armand et Michèle Mattelart.
Histoire du Maroc depuis l'indépendance, n° 346, Pierre Vermeren.
Histoire du Parti communiste français, n° 269, Yves Santamaria.
Histoire du parti socialiste, n° 222, Jacques Kergoat.
Histoire du radicalisme, n° 139, Gérard Baal.
Histoire du travail des femmes, n° 284, Françoise Battagliola.
Histoire politique de la IIIe République, n° 272, Gilles Candar.
Histoire politique de la IVe République, n° 299, Éric Duhamel.
Histoire sociale du cinéma français, n° 305, Yann Darré.
Industrie française (L'), n° 85, Michel Husson et Norbert Holcblat.
Inflation et désinflation, n° 48, Pierre Bezbakh.
Insécurité en France (L'), n° 353, Philippe Robert.
Introduction à Keynes, n° 258, Pascal Combemale.
Introduction à l'économie de Marx, n° 114, Pierre Salama et Tran Hai Hac.
Introduction à l'histoire de la France au XXe siècle, n° 285, Christophe Prochasson.
Introduction à la comptabilité d'entreprise, n° 191, Michel Capron et Michèle Lacombe-Saboly.
Introduction à la macroéconomie, n° 344, Anne Épaulard et Aude Pommeret.
Introduction à la microéconomie, n° 106, Gilles Rotillon.
Introduction à la philosophie politique, n° 197, Christian Ruby.
Introduction au droit, n° 156, Michèle Bonnechère.
Introduction aux *Cultural Studies*, n° 363, Armand Mattelart et Érik Neveu.
Introduction aux sciences de la communication, n° 245, Daniel Bougnoux.
Introduction aux théories économiques, n° 262, Françoise Dubœuf.
Islam (L'), n° 82, Anne-Marie Delcambre.
Jeunes (Les), n° 27, Olivier Galland.
Jeunes et l'emploi (Les), n° 365, Florence Lefresne.
Judaïsme (Le), n° 203, Régine Azria.
Lexique de sciences économiques et sociales, n° 202, Jean-Paul Piriou.
Libéralisme de Hayek (Le), n° 310, Gilles Dostaler.
Macroéconomie. Investissement (L'), n° 278, Patrick Villieu.
Macroéconomie. Consommation et épargne, n° 215, Patrick Villieu.
Macroéconomie financière :
1. **Finance, croissance et cycles**, n° 307,
2. **Crises financières et régulation monétaire**, n° 308, Michel Aglietta.
Management de la qualité (Le), n° 315, Michel Weill.
Management international (Le), n° 237, Isabelle Huault.
Marchés du travail en Europe (Les), n° 291, IRES.
Mathématiques des modèles dynamiques, n° 325, Sophie Jallais.
Médias en France (Les), n° 374, Jean-Marie Charon.
Méthode en sociologie (La), n° 194, Jean-Claude Combessie.
Méthodes de l'intervention psychosociologique (Les), n° 347, Gérard Mendel et Jean-Luc Prades.
Méthodes en sociologie (Les) : l'observation, n° 234, Henri Peretz.
Métiers de l'hôpital (Les), n° 218, Christian Chevandier.
Microéconomie des marchés du travail, n° 354, Pierre Cahuc, André Zylberberg.

Sociologie des organisations,
n° 249, Lusin Bagla.
Sociologie des publics, n° 366,
Jean-Pierre Esquenazi.
Sociologie des relations internationales,
n° 335, Guillaume Devin.
Sociologie des relations professionnelles,
n° 186, Michel Lallement.
Sociologie des syndicats,
n° 304, Dominqiue Andolfatto
et Dominique Labbé.
Sociologie du chômage (La),
n° 179, Didier Demazière.
Sociologie du conseil en management,
n° 368, Michel Villette.
Sociologie du droit, n° 282, Évelyne Séverin.
Sociologie du journalisme,
n° 313, Erik Neveu.
Sociologie du sida, n° 355, Claude Thiaudière.
Sociologie du sport, n° 164, Jacques Defrance.
Sociologie du travail (La),
n° 257, Sabine Erbès-Seguin.
Sociologie économique (La),
n° 274, Philippe Steiner.
Sociologie historique du politique, n° 209,
Yves Déloye.
Sociologie de la ville, n° 331, Yankel Fijalkow.
Sociologie et anthropologie de Marcel Mauss,
n° 360, Camille Tarot.
Sondages d'opinion (Les), n° 38,
Hélène Meynaud et Denis Duclos.
Stratégies des ressources humaines (Les), n° 137,
Bernard Gazier.
Syndicalisme en France depuis 1945 (Le), n° 143,
René Mouriaux.
Syndicalisme enseignant (Le),
n° 212, Bertrand Geay.
Système éducatif (Le),
n° 131, Maria Vasconcellos.
Système monétaire international (Le), n° 97,
Michel Lelart.
Taux de change (Les), n° 103, Dominique Plihon.
Taux d'intérêt (Les),
n° 251, A. Bénassy-Quéré, L. Boone et
V. Coudert.
Taxe Tobin (La), n° 337, Yves Jegourel.
Tests d'intelligence (Les), n° 229,
Michel Huteau et Jacques Lautrey.
Théorie de la décision (La),
n° 120, Robert Kast.
Théories économiques du développement (Les),
n° 108, Elsa Assidon.
Théorie économique néoclassique (La) :
1. **Microéconomie**, n° 275,
2. **Macroéconomie**, n° 276, Bernard Guerrien.

Théories de la monnaie (Les), n° 226,
Anne Lavigne et Jean-Paul Pollin.
Théories des crises économiques (Les), n° 56,
Bernard Rosier et Pierre Dockès.
Théories du salaire (Les),
n° 138, Bénédicte Reynaud.
Théories sociologiques de la famille (Les), n° 236,
Catherine Cicchelli-
Pugeault et Vincenzo Cicchelli.
Travail des enfants dans le monde (Le), n° 265,
Bénédicte Manier.
Travail et emploi des femmes,
n° 287, Margaret Maruani.
Travailleurs sociaux (Les), n° 23,
Jacques Ion et Bertrand Ravon.
Union européenne (L'), n° 170,
Jacques Léonard et Christian Hen.
Urbanisme (L'), n° 96, Jean-François Tribillon.

Dictionnaires

R E P È R E S

Dictionnaire de gestion, Élie Cohen.
Dictionnaire d'analyse économique,
microéconomie, macroéconomie, théorie des jeux, etc., Bernard Guerrien.

Guides

R E P È R E S

L'art de la thèse, *Comment préparer et rédiger une thèse de doctorat, un mémoire de DEA ou de maîtrise ou tout autre travail universitaire*,
Michel Beaud.
Les ficelles du métier. *Comment conduire sa recherche en sciences sociales*, Howard S. Becker.
Guide des méthodes de l'archéologie, Jean-Paul Demoule, François Giligny, Anne Lehoërff, Alain Schnapp.
Guide du stage en entreprise, Michel Villette.
Guide de l'enquête de terrain, Stéphane Beaud,
Florence Weber.
Manuel de journalisme. *Écrire pour le journal*,
Yves Agnès.
Voir, comprendre, analyser les images,
Laurent Gervereau.

Manuels

R E P È R E S

Analyse macroéconomique 1.
Analyse macroéconomique 2.
17 auteurs sous la direction de Jean-Olivier Hairault.
Une histoire de la comptabilité nationale,
André Vanoli.

Composition Facompo, Lisieux (Calvados)
Achevé d'imprimer en novembre 2003 sur les presses
de l'imprimerie Campin à Tournai (Belgique)
Dépôt légal : novembre 2003.

Imprimé en Belgique